CW00553659

Einaudi Stile libero.

Letizia Muratori
Tu non c'entri

08/08

Gi.S.

Einaudi

www.einaudi.it

ISBN 88-06-17615-3

Tu non c'entri

A mia madre

Ringraziamenti

Grazie a Severino Cesari con il quale il libro è nato e a Paolo Repetti per averci creduto. Grazie anche a Claudio Ceciarelli e Giovanna De Angelis per avermi dato preziosi consigli. Ringrazio Paolo Ravagli per la sua costante attenzione e affetto. E naturalmente grazie a mio padre che ha sempre incoraggiato il mio lavoro.

I love everybody
Especially you
I love everybody
Especially you
So if you feel lonesome
Remember it's true
I love everybody
Especially you.

Da *I Love Everybody*,
di Lyle Lovett.

Uno.

– Togliti la maglietta, cosí non ci riesco.

Marco la implorava guardandosi tra le gambe.
Il preservativo gli pendeva giú dalla punta come
uno sputo giallo. Mentre Elena la maglietta se la
teneva stretta addosso. La maglietta per lei era il
bastone che ti salva quando scivoli in un fiume largo e vai a morire. Elena non aveva capito bene come, ma morivi di certo se non ti aggrappavi a quel
bastone. È una di quelle cose che si imparano da
piccoli, verso le tre del pomeriggio, davanti alla te-
levisione.

– Questo ormai è sprecato. Non ne ho portati
altri –. Marco strinse il preservativo, voleva le-
varselo. Elena lo fermò. – Calmo, se faccio io forse è meglio –. Poteva sembrare un suggerimento
ma c'era poco da suggerire, o interveniva lei o era
la fine. Glielo tolse. Braccia dietro la schiena, lo
passò da una mano all'altra, un paio di volte. Poi
tese i pugni all'altezza dei capezzoli di lui. E disse: – Indovina dov'è? – Marco indicò il pugno destro. Senza aprire il palmo, Elena dichiarò: – Hai
vinto. Ora stai fermo –. Di nascosto abbandonò il
preservativo che ricadde sul pavimento quasi muto, e sparí come una rana inghiottita dall'acqua.

Con i denti sfiorò l'affare abbattuto di Marco.
Se lo cacciò in bocca, tutto intero, giú fino alla ba-

se. Quello crebbe, dandole un senso di sollievo. Piú duro è meno dura. Erano le cinque e un quarto. Ancora un'ora, prima che sua madre tornasse dal laboratorio. Forse anche di piú. Il primo giovedí del mese le arrivavano le cellule nuove. C'era parecchio da lavorare.

– E togliti 'sta corazza –. Marco si aggrappò al bordo della maglietta. Elena scattò indietro. – Ma dài, lo sai che non te la tolgo se tu non vuoi –. E prese a leccarle le guance fino all'angolo tenero dei lobi. Ma tutta quella tenerezza a nulla valse se non a farglielo riaccucciare.

– È che mi suda, mi sta sudando. Tutta vestita mi fai pure caldo, – le disse.

Elena allora ricominciò con la lingua, poi con le labbra e poi ancora aiutandosi con una mano. Monitorava le reazioni del ragazzo, i suoi sospiri. E ogni tanto gli passava la mano sul culo, perché a lui piaceva. Ci infilava un dito dentro, non troppo in fondo, solo un tentativo, sempre attenta a non perdere il ritmo. Il suo era un lavoro perfetto, allenato e animato da una speranza. Che lui la lasciasse fare, con la maglietta addosso. Marco però quel pomeriggio aveva voglia di farlo come si fa, nudi. E tutti i trucchi del mondo non l'avrebbero fatto venire. Nemmeno la versione spinta di *ora mi faccio la tua bocca*.

Elena gli aveva concesso una possibilità, ma se quello perdeva tempo a sognare il mondo dei nudi, lo avrebbe cacciato. Mentre lo carezzava senza piú tanta convinzione, Marco la scansò con tristezza.

– Io avrei tenuto gli occhi chiusi, – le disse, con la voce lenta delle promesse. Piú lenta è, piú sono promesse false.

La testa di lui era compatta. Scolpita. La fronte ampia incorniciata da ricci stretti. Quando Marco andava giú e la leccava, quei ricci si confondevano con i suoi peli. Il risultato era il Sai Baba che si agitava tra le gambe di Elena. Quando Marco si stufava e tirava su la testa era pure peggio. Per un istante le sembrava di essere rimasta con un buco pelato, senza piú niente lí sotto.

Marco si allacciò i calzoni, stringendoli all'altezza delle anche. Abbottonandosi la camicia, le diede un bacio sulla spalla felpata e uscí dalla stanza.

Elena rimase seduta sul letto, fissava le federe a quadretti marroni. Sua madre comprava le lenzuola piú brutte del mercato. Ci voleva forza di carattere per mettersi a dormire in un letto marrone.

– Che fai, torna qua. Perché sei scappato? – gridò, rivoltando il cuscino dalla parte tinta unita, beige.

– Mi scappa, però non devo pisciare veramente. Ti capita mai a te?

Marco non era andato lontano, ciondolava nel corridoio stretto e poco illuminato fuori dalla stanza.

– È cistite. Si cura col Pipram.

– La cistite è una cosa delle donne.

– La cistite viene a chiunque. È un'infezione.

– Allora me l' hai attaccata te?

– Non si attacca.

– 'Ste cose si attaccano sempre.

– La cistite no, viene da sola. Torna qua.

Elena vide rientrare per prime le sue dc, rosse. Se le era comprate uguali a quelle di Saverio. Marco era il servo del fratello.

– Forse, se ti levassi quei mattoni dai piedi, al-

meno quando scopi… forse ti si rizzerebbe meglio.
È una questione di leve, di pesi.

– Ma che dici! Col cappuccio viene tutto male.
Tu sei coperta. Non mi va se sei coperta, hai capito?

– Marta non te lo dice mai di levarti le scarpe?
La tua donna è inutile, – gli disse.

– Le nostre donne non sanno nemmeno chi sei.

– Nostre di chi?

– Nostre di noi, – rispose lui, ridendo. E stavolta uscí davvero. Se ne andò, dimenticando l'accendino e il suo odore di talco. Se lo metteva nelle scarpe. Elena ne era sicura, da lí proveniva la puzza di
bambino lavato. Per lo meno Marco aveva riso. A
Elena la gente triste e moscia non piaceva. Ora era
sola, con una rana che aveva dovuto pure cercare
perché ci era affogata nel fiume. Aprí una lattina,
bevve quel tanto che bastava a togliersi il gusto di
gomma dalla gola e svuotò il resto nel lavandino della cucina. Afferrò il preservativo, ce lo cacciò dentro e li buttò entrambi nel secchio.

Aprí la finestra. Le case davanti alla sua sembravano enormi yacht. L'aria fresca li cullava.
Niente piú colossi inquinati. Rosi da basso da un
lavorio di passi, bocche sfiatate di linea B, mani-
festi strappati, bancomat momentaneamente fuori servizio. Insomma, a vederla dalla finestra del
corridoio quella era una strana versione di piazza
Bologna.

Ci vide anche Marco in mezzo, incedeva lungo
la discesa di via Lorenzo il Magnifico. Da lassú era
piccolo piccolo. Elena e sua madre abitavano al se-
sto piano di un palazzo verde chiaro, bordato di
nero.

Marco si fermò, di fianco a una saracinesca tirata giú. Probabile che vi fossero appese le lingue. I bigliettini con i numeri cellulari delle studentesse fuori sede: *ragazze cercano posto letto, garantite dai genitori.*

Rossetti resistenti agli urti, magliette con la Pucca sformata dalle tette, i jeans Asja che fanno il bel culo. A Saverio piacevano, perché erano grandi, alcune quasi vergini, e abitavano quasi da sole. A Marco pure, cosí diceva, e non era vero. Le frasi di Saverio spesso nemmeno le capiva, ci credeva e basta. Con lei era il contrario, la capiva benissimo e non le dava retta.

– Schiavo, sorcio.

Marco si voltò, quasi avesse sentito il commento. Poi proseguí. Si frugò nelle tasche, piú o meno all'altezza della pizzeria Poppy 2. Di giovedí restava chiusa, risparmiandosi il suo bisunto risveglio. Elena richiuse la finestra, anche degli yacht, dell'aria fresca e delle lingue ne aveva abbastanza. Tanto il mondo rimaneva un buco pelato pieno di gente che si sfila il cappuccio, ma non le scarpe. Mise su la sorella White. Cantava *come to me again, in a cold, cold night.*

Due.

La professoressa di matematica le aveva accordato un permesso frettoloso. Elena uscí dall'aula. La Bompadre andava sempre di fretta, sollevando intorno a sé un vortice d'agitazione monotona. Le perle che teneva al collo erano ferme. Non se le scordava mai, sopportavano i suoi sputi, le sue furie, gli sbadigli degli altri, gli urli di tutti. Elena non ci capiva niente con lei. Faceva finta di capire, a volte si convinceva perfino d'aver capito. Poi quella chiarezza le sfuggiva via dalla testa come una biscia, lasciandole solo un'orma netta a infastidirla. E quelle perle eterne restavano lí a guardarla.

Il corridoio era un deserto curvo. Se un'oasi con due palme secche e sfilacciate le fosse spuntata davanti, Elena non se ne sarebbe stupita. Entrò nei bagni. Davanti allo specchio c'era Muso di mulo.

– Ma ti pare giusto che solo noi non abbiamo il sapone liquido nel bagno? In succursale ce l'hanno, lo sai? Lí hanno rifatto tutto nuovo.

Muso di mulo parlava a getto continuo, roteando rumore come la punta di un trapano. Elena lo baciò su uno zigomo.

– Che fai? Nessuno te lo ha chiesto, – le disse e riprese a strusciare il dorso delle mani sulle cosce perché non usava l'asciugamano, mai. Magari avevano ragione a chiamarlo cosí, tanto Muso non si offendeva mica. Anzi, si eccitava. E metteva in scena i suoi numeri assurdi. Come rivoltarsi le palpebre sugli occhi riducendoli a due asole di carne.

– Non entrare in quel bagno, fa schifo –. Ci era appena stato lui e aveva vergogna della sua puzza. Elena allora imboccò quello accanto, chiuse la porta a mezza chiave, da un po' di mesi si era rotta la serratura.

Le sue mutande erano bianche. Eppure prima, in classe, aveva avvertito i dolori classici, la gamba destra che smaniava.

– Me lo porto da casa il sapone liquido… però col cazzo che lo lascio qui, a disposizione di tutti. Muso di mulo era uno meschino. Delle sue minacce non fotteva nulla a nessuno, a lui per primo.

Sulla carta igienica Elena non trovò tracce, niente. Niente nemmeno spingendo piú in alto. Forse le prime macchie marroni sarebbero arrivate in serata. Un tremore all'altezza delle caviglie scippò i suoi pensieri alle mutande. Aveva un messaggio nelle tasche dei calzoni. «4 e 1/2 al kampone. Oskar».

Aspettò un minuto prima di evadere dal bagno, convinta che ci fosse ancora Muso pronto a scaricarle addosso una trapanata di schifo per il mondo.

Ma, una volta fuori, si ritrovò davanti una tizia che strizzava lo straccio in un secchio. Non la salutò. Tanto non valeva la pena conoscersi, quelli cambiavano ogni quattro, cinque mesi. Ma avevano sempre i guanti nuovi, personali. In una cesta, vicino all'armadietto dei saponi, c'era una folla di guanti di gomma lasciati lí dai loro predecessori. Due volte la settimana passavano pezze, trascinavano scopettoni, eppure l'odore della scuola era duro a morire. Nato da sé, non somigliava a niente e a nessuno.

Al semaforo un paio di promotori finanziari stavano con il culo piantato su quelle moto larghe e chiatte che sembrano bighe. Acceleravano da fermi, saldi sui polpacci inguainati in completi grigio elefante. Al verde Elena partí veloce lasciandoseli alle spalle. Svoltò a destra, poi ancora a destra e dopo un pezzo di stradina sterrata parcheggiò il motorino e si rassegnò a proseguire a piedi. Anche se le ginocchia, una peggio dell'altra, le facevano male.

Il kampone era solo un piazzale enorme. Dove la polvere generava altra polvere. Di fianco c'era un deposito abbandonato. E nel mezzo una grande fontana vuota. Cemento liscio a curvatura perfetta. Il kampone lo conoscevano in pochi. Secondo Oscar era un posto vero. Un posto vero è per caso. Perché lo skater storce la groppa a ogni cosa. E ogni cosa, anche la piú ostinata, alla fine cede. E si lascia passare sopra.

Oscar non la salutò. Con rapida violenza tirò lo strep dello zaino e le sfilò via lo skate. Elena traballò allungando le braccia a riprenderselo, manco le avesse sfilato una vertebra. Senza il suo skate in spalla era diventata mollusca. Oscar lo piazzò a terra e mise la tavola in verticale. Immobile le disse:

– Muoviti, sai quello che devi fare.

Elena partí leggera. Non aveva pazienza e si vedeva. Non le andava di insistere sempre sulle stesse cose, quelle che non sapeva fare.

– Non bluffare. *Droppa*, – le disse Oscar.

Elena ripartí, provò a droppare nella conca di cemento. Fece un po' di scena, ma niente di serio. Roba da fare incazzare anche il piú disponibile dei maestri.

– Oggi non mi va di allenarmi, – concluse, oramai seduta al centro della fontana.

– Elena, insisti o *mitinculo*.

– E fallo. Sarebbe molto meglio.

– Non mi innervosire. Invece di essere grata, tu
mi innervosisci.

– Ma grata di che?

– Io mi gioco la reputazione insegnando a te. Ma
lo sai come la vedo.

– No, non lo so.

– Se uno promette bene bisogna coltivarlo, anche se è una donna.

– E allora? Oggi non si coltivano le donne, basta.

– Fondamentalmente nella vita bisognerebbe
non farlo mai.

– E le donne li possono coltivare gli uomini?

Elena fece scivolare lo skate per qualche metro,
tirò fuori da una tasca fonda dello zaino uno straccio di pail rosso, la sua cuccia da viaggio.

– No, le donne non sono capaci.

– Sicuro? – gli chiese, sistemando lo straccio in
terra. Carponi con i palmi piantati agli angoli della cuccia, Elena schioccò le labbra veloce verso
Oscar, come quando si chiamano i gatti.

– Sicuro. Non è per dire, ma le donne non lo
sanno proprio fare.

– Ti fa male la palestra. Parli come Olindo.

– Guarda che mio cugino certe volte ha ragione.

– Sí, peccato che conosce solo tre parole: sangue, oro e tradizione.

– È inutile che lo sfotti. Ti dico che ha ragione,
e poi è uno che legge tantissimo, ha tremila libri.

– Non si vede.

– Tanto con te non si può parlare seriamente.

Elena si sfilò via i pantaloni e attese che Oscar si decidesse a raggiungerla nella fontana. Ma lui era immobile, con lo sguardo fisso sullo skate abbandonato.

– Infatti, chi ti ha chiesto di parlare? Possiamo fare altro, te lo sei dimenticato?

– Finiscila. Sei solo pigra.

– Guarda che se non ti va mi rivesto. Non lo so, magari leggiamo un libro.

– Non ti meriti niente, – le disse Oscar e balzò nella fontana. Strappò l'involucro del preservativo con i denti, poi si accorse di quanto fosse ridicola la sua faccia in quel momento e le disse: – Scusa, io non ho le unghie –. Sbagliò verso, lo ridispose nel senso giusto e lo srotolò, attento a non dare altri segnali di compiacimento.

– Girati.

– Dove?

– Dietro.

– Va bene.

Le ginocchia di Elena strappavano di dolore, in qualsiasi posizione. Forse era perfino meglio l'impatto con il duro che soffoca il male. Meglio dell'aria che ci soffia sopra e lo moltiplica.

Oscar entrò dentro di lei piano, informandola che per il culo non c'era tempo ché quella era un'operazione lunga: – Oggi non ti posso bucare lí –. Non lo sapeva fare, premeva e il suo pisello dava le dimissioni, scompariva come il trucco del coltello retrattile, poi le diceva: – Tu lo sai che io ne ho bisogno –. E accampava una scusa per non farlo. In compenso si accaniva sul resto.

Elena comunque non sentiva molto e poteva concentrarsi sui sospiri, farli uscire fuori bene, ritmici al punto giusto. Oscar accelerò e le sputò sopra. A Elena piacque molto quell'iniziativa, non lo aveva mai fatto prima. Chinò la testa, appoggiando la fronte sul freddo liscio della conca, tenendo gli occhi chiusi per la paura che anche un batter di ciglia lo avrebbe distratto dalla meta. Ma il suo telefonino prese a squillare.

– Continua, non lo sentire, – gli disse.

Ma quello suonava imperterrito il motivo dell'alzabandiera. E alla fine ebbe la meglio sul loro reciproco impegno. Oscar ricadde sulle ginocchia. Elena non fece in tempo a fiatare che lui la bloccò. Con una mano la teneva girata di schiena mentre con l'altra si faceva una sega.

– Chi era?

– Mia madre, è ora. Starà tornando a casa e devo aiutarla a portare i sacchi della spesa.

– Prima però fammi finire.

Oscar ci provò, ma non riuscí a venire. La sollevò brusco, ripiegò la cuccia portatile, gliela consegnò, assicurandole che era stata comunque brava. A sedici anni aveva i capelli bianchi. Era una macchia della pelle che proseguiva sui capelli. Non era invecchiato prima del tempo, era fatto cosí. Quella macchia a Elena piaceva, ma non si sarebbe mai sognata di carezzarla. Era la questione del rispetto: se ti carezzo vuol dire che mi fai pena come uomo. E Oscar l'avrebbe ammazzata, anche per molto meno. Elena poteva scherzare con lui, fermandosi al momento giusto.

Quasi tutte le facciate degli yacht intorno a casa erano state rifatte da poco, alzavi lo sguardo e non c'era piú la differenza tra il cielo e sotto il cielo. Tutto limpido e ripulito. Solo a guardare su c'era

di che sentirsi in colpa. Elena doveva fare in fretta, se sua madre arrivava e lei non c'era, era un problema. Anna aveva l'ernia, non poteva portare pesi. E non voleva arrivare all'operazione, cosí le ripeteva. Il fatto che sua figlia se ne fregasse era una
delle poche cose che la rendevano vendicativa.

Elena entrò da Fiore, prese due litri di latte par-
zialmente scremato. Il latte lo comprava sempre
lei, insieme alle sigarette. Da Fiore imperava una
puzza di panni asciugati male e segatura. Era uno
di quei bar dove i cornetti sono confezionati nei
sacchetti di plastica e ai tramezzini spuntano le ali
verso sera. Salutò Domenico, il barista. I clienti
fissi lo chiamavano Mimmo. Da Mimmo c'erano
parecchi clienti fissi. I piú vecchi tra loro erano
muti. Lenti agguantavano patatine da cestine di
metallo e bevevano zozzerie arancioni. Gli occa-
sionali erano invece le squadre di operai delle facciate da ripulire. Braccia conserte, gamba destra
in avanti. Prendevano birra o caffè, non mangia-
vano mai niente. Se tra loro c'era un italiano era
lui che pagava il conto.

Mimmo recuperò alle sue spalle, dietro la cassa,
un pacchetto di Merit e uno di Muratti dure. Un
pacchetto per lei e uno per sua madre. Seduto su un
trespolo, in fondo al bancone, c'era un ragazzo. Aveva il naso corto e gli occhi cerchiati di punti rossi come i minuscoli ragni che sfilano sul bordo dei vasi.

Sei una puttana e Fulvio non ti ama.

Il ragazzo cantava e non era completamente stonato. Fulvio era lui, il figlio scemo di Mimmo. E
Mimmo non si scusava piú per quelle uscite. Tanto le ragazze c'erano abituate, ogni volta che mettevano piede lí dentro Fulvio partiva. Cantava
sempre le sue lagne, rivolto a quel che c'era di mi-

sterioso al di là dei suoi occhi a vaso. Elena rise
perché non poteva fare altrimenti e Mimmo le diede un buffetto sulla guancia. Aggiunse che non doveva fumare tanto perché nessuna ragazza gli stava a cuore come lei. Attaccò con la storia di quando sua madre la portava ancora in braccio e lui le
faceva il solletico sui piedi e poi li prendeva a morsi: – Erano teneri come medaglioncini –. Glielo ripeteva praticamente tutti i giorni, ma Anna sosteneva che non fosse mai accaduto.

Elena andava raccogliendo il resto sulla ciotola
argentata della cassa quando avvertí alle sue spalle sapore di Saverio: cuoio, limone e fumo secco.
Non era male il miscuglio. Stava piantato dietro
di lei in attesa delle sue Reynolds Red. Le sigarette impacchettate da dio. Cosí le chiamava lui. Ammesso che dio fosse uno skater, la definizione era
appropriata.

La salutò con un cenno vago. Indicò a Mimmo
le sigarette con uno scatto di mento. E ne aveva
già una accesa in bocca. Poi iniziò anche a tor-
mentare le confezioni di Vigorsol in fila di fianco
alla cassa, cambiandole di posto e di verso. Il suo
ordine doveva imperare ovunque. Le cose come le
vedeva lui, solo questo era importante.

Elena non era buona, ma non odiava nessuno.
Però Saverio sí, ogni tanto lo odiava, anche parecchio. Come fratello maggiore a Marco lo istrui-
va male. Era il fratello maggiore di chiunque lei
conoscesse, pur restando un autentico coglione. Lo
incontrava spesso. I fratelli Russo abitavano lí vicino, via Stamira, numero 18.

– Come è andata a Torino, ino, ino… – chiese
Fulvio a Saverio. Quando parlava e non cantava
si rifaceva l'eco.

– È andata, – gli rispose Saverio, con aria sapiente e allusiva, la sua aria.

– Un paio di idioti si sono attaccati, ma è andata, – aggiunse, senza creare nessuna suspense. Era difficile incuriosire certa gente.

– Quando ci sono stato io a Torino, c'era la *fudda*, tutta ferma sotto la pioggia, – disse uno dei clienti fissi. Il piú fisso di tutti, stava lí dentro tutto il giorno.

– Lei beva, che la folla ferma l'ha vista a Roma, – scherzò Mimmo, passando un pezzo d'ovatta imbevuta di alcol sul bancone. Poi tutt'intorno al gomito massiccio di quel vecchio che imperturbabile riprese a sbriciolarsi patatine sulle labbra livide.

– Comunque, – continuò Saverio, – pioveva anche ieri, a Torino.

A Elena non fregava piú nulla che sua madre l'aspettasse. Non le facevano piú male nemmeno le ginocchia. Tutto il suo corpo era in ascolto. Il resoconto di Saverio era caldo. E lui si era fatto crescere le basette, lunghissime. Segnale importante. Anche Marco se le sarebbe fatte crescere, poi Luca, poi Antonio, poi tutti. E a lei non piacevano quelle basette. Sapeva benissimo cosa fosse andato a fare Saverio a Torino, Marco ne aveva parlato parecchio. A Torino c'era un'intera settimana di concerti validi.

Saverio non era capace nemmeno di attraversare la strada sui suoi piedi. Ma diceva che la sua carriera di skater era stata compromessa dal menisco lasco. Stronzate dette bene. Saverio doveva scriverci un articolo sopra i concerti. Saverio scriveva sempre articoli sopra tutte le cose. Ne aveva scritti anche sulla tappa di Slam Trick a Marina di Ravenna. Della teoria lui sapeva tutto.

Elena attaccò bottone con Fulvio pur di rimanere lí dentro a sentire. Ma lui batteva le mani sulla vetrinetta del frigo che aveva a fianco ogni volta che qualcuno si avvicinava, varcando il suo rigido confine. Elena con le labbra scandí: – Crepa, mongoloide –. Saverio non si era accorto di nulla, aveva solo agitato un braccio in segno di silenzio perché ora stava al cellulare: – Quello dei *Fantasteaks* non ha lanciato la tavola, stavolta no, niente. Mosci comunque, sfatti te lo dico io. Invece *Tano3card* interessanti sul serio… In copertina c'hanno messo una bionda che porta al guinzaglio un ermellino sulla spiaggia. No, non è frolla l'idea del violino, non trovo…

Cosa fosse l'idea del violino era un mistero. Ma l'avrebbe risentita riciclata da qualcuno, sicuro. Elena uscí eccitata, avviandosi verso il cazziatone di Anna. Nella vita capita di scegliersi un nemico. Lei in fondo ce lo aveva da anni e non lo aveva mai cambiato. Un tempo Saverio era un ciccione che stava da solo nella sua stanza a studiare tutto il giorno. Ma un'estate era dimagrito e aveva scoperto l'utilità di avere un amico con cui uscire. E suo fratello era lí, a disposizione. Fu cosí che Marco smise di andarla a trovare per giocare. Avevano dieci anni ma sono cose che a ripensarle ancora fanno male.

Tre.

Dallo sportello posteriore spuntavano i sacchi Gs. Anna non andava mai alla Sma sotto casa, per via dei cassieri lenti. I sacchi saranno stati cinque in tutto, come al solito. E sua madre immobile, anche lei parte del carico.

Elena bussò sul vetro, immediatamente la chiusura dello sportello posteriore scattò. I sacchi erano sei invece, stracolmi e uno era anche sfondato. Forse le sarebbero toccati due viaggi dalla macchina al portone.

– Perché hai comprato tutti 'sti biscotti? Non li mangio piú. E lo sai, – le disse, trasferendo il contenuto del sacco rotto in quelli sani.

Anna nel frattempo era uscita dalla macchina. Lunga e magra con gli occhiali scuri piantati sulla nuca, quelli chiari calzati sugli occhi. E i piccoli, gli occhiali dei vecchi, probabilmente in fondo alla borsa. Un ragazzo passando le disse: – Signora, io ho rifatto il reclamo stamattina. E anche oggi pomeriggio, presto –. Elena lo incontrava spesso, senza avere idea di chi fosse esattamente quel tizio. Di lui sapeva solo che quando si addentrava in un discorso batteva un palmo della mano sull'anca, mentre l'altro palmo lo teneva aperto in vita.

– Che vuole quello?

– Sta al 41. Anche a loro staccano ogni tanto

l'acqua diretta per quei lavori. Piú gente reclama
meglio è.

– Tanto al 41 non si lavano.

– Piantala, aiutami, – le disse Anna, traballan-
do davanti allo sportello. Era sempre agitata, in-
decisa appena fuori dalla macchina. E gli occhiali
scuri le scivolarono a terra. Spesso portava qualcosa di troppo addosso. Due maglioni, due paia di
calze, a volte perfino due giacche. Di regola due
borse, una per sé, una per il lavoro. Aveva tutto
doppio, triplo, tranne i fidanzati. Sebbene si fi-
danzasse in continuazione Anna era fedele.

– Al 41 sono zozzi dentro. La portiera spruzza il
deodorante nell'ascensore per lo schifo che fanno.
È un ascensore minuscolo. Tu queste cose non le sai.

– E tu come le sai?

– Sono cose che volendo si sanno.

– Tu piuttosto ti devi lavare i capelli? Fammi
vedere, togliti quell'affare.

Anna allungò il suo braccio secco e le sfilò via il
berretto giallo di lana. Sulla testa di Elena respirò
un cespuglio ispido.

– Sí che devi lavarteli. E perché non rispondi
quando chiamo? – disse alla figlia, ispezionando-
la con stizza.

– Il motorino si è fermato, però è ripartito, mica potevo risponderti mentre lo spingevo.

Elena aveva un gran talento per le balle d'emer-
genza. Anna se l'era bevuta infatti. Ma s'infuriò
lo stesso.

– Se tu ti ostini ad andare avanti senza olio per
giorni certo che si ferma. Non ti capisco. Io non
pago piú niente stavolta.

– Mamma, tranquilla. È ripartito ho detto, ec-
checazzo!

Il sacco sfondato era vuoto e appiattito nel portabagagli, ci sarebbe rimasto a lungo. Il resto Elena se lo era caricato alla bell'e meglio, mento in fuori e dita rosse. Skate in spalla. Mentre Anna la seguiva incerta, tastandosi le tasche a rapidi colpi frettolosi. Proprio come faceva Scauri, quando cercava la penna e ce l'aveva tra i denti, Anna cercava il mazzo di casa che teneva appeso alla cinta con un moschettone d'argento. Elena non si sognò di dirle che somigliava parecchio al professore, certe volte. Sarà che conosceva già la risposta, era sempre la stessa:
– È diseducativo quell'individuo, l'anno prossimo ti cambio sezione –. Aveva smesso di ricordarle che tanto Scauri insegnava in tutte le sezioni. Elena aveva smesso di ripetere le cose a sua madre. Se lo era imposto quel silenzio, per non fare di peggio. Ma quando si tratteneva e nella gola la stessa risposta le arrancava su identica alla volta prima, la rabbia arrivava e toccava smaltirla comunque.

Il padrone della libreria A.L.B.E. sorrise vedendole passare. Sorrideva se lo guardavi dritto. Il suo non era un saluto, ma una specie di riflesso. Fumava solo, sulla soglia del negozio. Ogni tanto beveva caffè dal bicchierino di un termos. Era uno triste, con la faccia gentile.

– Ti apro io. Basta che mi aspetti, – le gridò da dietro Anna, mostrandole vittoriosa le chiavi nel pugno. Elena depositò il carico davanti al portone. Le dava gusto darsi da fare. Per poi sentire sulla schiena il peso delle cose fatte, sperando che nessuno le dicesse grazie. Ai grazie non sapeva come rispondere. Prego, le pareva poco.

In cucina lo spazio era limitato, quattro mensole, un armadietto a doppia anta di smalto blu.

Sistemare la spesa implicava una certa applicazione.

– Hai preso troppa roba, ora dove la metto?

Ma Anna non le dava retta e leggeva la posta. La loro giornata insieme iniziava alle sei del pomeriggio e finiva la mattina seguente, alle sette e mezza. Elena si avvicinò alla finestra spingendo a calci la confezione da sei dell'acqua minerale.

La gola di balconi a precipizio, tutti uguali al suo, l'aspettava al varco. Da piccola misurava la distanza l'uno dall'altro progettando cadute. Se cado da qui, mi salvo lí – pensava – perché sotto ce n'è un altro e poi un altro. Quella traiettoria Elena la conosceva anche per via dei ladri. Qualche volta erano entrati, scavalcando a uno a uno i piani, giú dal terrazzo condominiale. Anche se era molto piú probabile che avessero le chiavi di casa e fossero entrati come si entra, dalla porta. Ma i carabinieri dicevano che la via del terrazzo non era da escludere. I carabinieri dicono seri un sacco di idiozie sul momento. E per intrattenere la gente ripulita, fanno finta di credere a Spiderman. Fatto sta che era profonda e rischiosa la gola del cortile. Ma il vuoto senza speranza di salvezza, se non lo volevi vedere, non c'era.

Sua madre la stava pregando di rientrare perché, secondo lei, si gelava. E non era un autunno particolarmente freddo. Anna aveva un modo tutto suo di avvertire il clima, come i pazzi che vanno d'estate vestiti pesanti, uguali all'inverno.

Elena si ricalcò meglio il berretto in testa, buttò di sotto i capelli rimasti attaccati all'etichetta e rientrò. Doveva pure preparare il tè. A quell'ora se lo facevano sempre, manco fossero Jessica Fletcher. Quella faccia da culo saccente che sua madre adorava. L'accendino era mezzo scarico, ma quando finalmente una scintilla venne fuori a fiamma alta, il fornello prese vita con uno sbotto violento. Anna l'afferrò di scatto, una pila di bicchieri di plastica rotolò sul pavimento.

– Non è successo niente, mamma lasciami non è successo niente.

Lentamente quella morsa si trasformò in una ripetuta e isterica carezza. Elena pensò bene di sottrarsi raccogliendo i bicchieri da terra.

– Brava, usiamo questi per il tè, doppi se no scotta. Le pentole piene d'acqua? Dove stanno le riserve?

– Dove le hai messe te, io non le ho toccate.

– Dietro la vasca?

– Se non lo sai te…

Elena uscí dalla cucina allargando le braccia. Si accasciò per terra davanti alla Tv, senza accenderla. Non la guardava quasi mai. Era la fine del pomeriggio, un momento che non le piaceva perché inutile. La cena era ancora lontana, un paio d'ore. Il tè le procurava il mal di stomaco. Le pesavano i minuti sulla testa e aveva fame. Il tempo diventava un cubo fermo, fatto di luci accese.

Ora, l'unica speranza era che il telefono di casa squillasse e Anna si togliesse di torno per un po', cosí che lei potesse pensare da sola a ciò che era avvenuto fuori di lí. Pensare a Saverio, riflettere sulla storia del violino e le basette. Sebbene fosse sabato sera Elena coltivava l'unica prospettiva di brasarsi nel letto. Era stanca, arcistufa di quella vita del cazzo. E nel suo caso non era un modo di dire come un altro.

Anna la chiamò dal bagno, i travasi d'acqua e

l'alluminio trascinato sul marmo erano un chiaro
segno: avviato il programma lavaggio capelli. Elena la raggiunse. Prima di sfilarsi la felpa, disse a
sua madre: – Tu ti giri, adesso –. E Anna si girò,
sbuffando. Elena annodò un asciugamano intorno
al collo, chinò la testa nel lavandino. Vedendola
pronta alla ghigliottina, sua madre partí all'attacco dicendole che dopo gliene avrebbe tagliato un
bel pezzo. Non ne poteva piú dei suoi capelli spar-
si dappertutto. Sciacquata quella matassa chiara,
le sistemò l'asciugamano a turbante. Elena era rimasta a seno nudo, il suo busto era tutto sporco di
shampoo.

– Puzzi di sudore. Infilati nella vasca che ti la-
vo tutta.

Elena obbedí, piú per pigrizia che per convinzione. La vasca vuota le soffocava le chiappe, come la fontana del kampone le ginocchia. Si vede
che era quella la sua fortuna del giorno, premere
il fastidio sulle cose asciutte.

Anna le strofinava addosso la spugna con acca-
nimento. Poi la strizzava nella pentola. La manica del suo maglione era ora completamente fradi-
cia. Elena, difendendosi da quegli attacchi a braccia conserte, le disse: – È inutile che ti fai 'sto culo,
tanto le ustioni non se ne vanno mica cosí –. Anna scaraventò la spugna contro il muro sfiorando
il calendario di Xiao Sui, il ristorante cinese dove
andavano ogni tanto. Lo schianto flaccido disegnò
una specie di mano senza pollice. Mentre la ragazzina paffuta di Xiao Sui, accucciata a quattro
zampe con le sue trecce tozze piantate ai lati della nuca, traballava per la botta. Elena glielo fece
notare. Allungandosi all'improvviso sui gomiti,
gonfiò l'addome strozzato dalla piovra dell'ustio-

ne. I tentacoli di cera liscia arrivavano su fino alla sua spalla destra, travolgendole il seno. Ma Anna non aveva voglia di notare nulla e stava seduta sul cesso, come un cane basto.

– E perché stai a testa bassa? Non mi vuoi vedere tutta pulita?

– Ma che dici? – rispose Anna, raccattando con il pollice e l'indice a pinza un frammento di carta igienica dal bordo del bidè.

– Ti risulta che uno non la guarda la sua macchina dopo che l'ha lavata? Ti risulta?

– Che c'entra la macchina?

La voce di Anna era nervosa e secca.

– E non esagerare, mica c'è da disperarsi. In fondo guardala, tiè...

Elena si mise di fianco e rideva carezzando isole di pelle giallastra, lustra e tirata che le presidiavano la schiena fino al centro, lí morivano nel canale della spina dorsale.

– Non è da tutti avercela una cosa cosí addosso. Devi essere fiera di me, – le disse, sollevandosi.

– Io non sono fiera di te, ma non per questo...

– Questo che? Dille le cose, dille.

– Non sono fiera di niente, io. La fierezza è una stupida cosa.

– E allora passami l'asciugamano grosso.

Quattro.

Elena si era attaccata al citofono, Marco teneva sempre la musica alta e non sentiva. Lui non ascoltava mica l'hip hop, che i rumori tra le parole ce li senti. Elena si specchiò nel vetro del portone aperto a metà e riprese con un gesto paziente le due mollette che fissavano il berretto di lana all'altezza delle orecchie. Con i capelli puliti le scivolava via facile. Lo teneva su sempre, anche in classe. Qualcuno se ne lamentava. Solo Scauri diceva che faceva benissimo a coprirsi il capo. Nel paradiso all'ombra delle spade lei ci sarebbe entrata di certo, con tutti gli onori. Anche se non era una vergine, gli angeli guerrieri l'avrebbero accolta a braccia aperte. Proprio cosí diceva. Poi rideva. Non c'era niente da ridere, Elena oramai su quella fine ci contava. Ancorate le mollette, era serena come lo stupido cielo celeste di quella mattina. Sarà stato sicuramente troppo stupido per essere il paradiso di Scauri, ma a lei piaceva lo stesso. Era felice di andare a Fregene. Oscar li aspettava alla cooperativa Sant'Elia, dava lezione ai principianti lí. C'era uno spazio in piano e grande, ideale per imparare. Oscar alzava parecchi soldi e dopo gli offriva un tocco di ciocco. Un pezzo di fumo per farsi il tramonto. Nel frattempo loro potevano darsi da fare sugli scivoli per i disabili. Era un programma degno.

Marco però non dava cenni di vita, Elena teneva il dito pigiato con forza, ottusa e fiduciosa. I
nomi sul citofono li sapeva a memoria, sapeva come si fossero consumate le targhette negli anni.
Mentre lei era rimasta un dito attaccato a un tasto. Si infilò meglio la maglietta nei calzoni, stringendo a sé la giacca di velluto nero. Quella mattina si sentiva pure piú carina del solito. E le carine
non devono aspettare troppo a un portone. Un rumore di mazzi di chiavi e catenelle per le scale la
rassicurò. Marco si era precipitato giú di corsa.

– Elena scusa, è molto che aspetti? – le disse ab-
bracciandola con affetto, come Elena sapeva che
quello abbracciava il suo gatto, Saulasamba II.
Saulasamba I era morto.

– E lasciami, dove ce l'hai il motorino?

– All'angolo, vicino al relitto. Se gli è caduto addosso anche stavolta m'incazzo.

Il relitto era un vecchio MBK tutto rotto, senza
targa. Da mesi stava abbandonato per strada, cadeva ogni volta che tirava un po' di vento, travolgendo tutto intorno. Il box affianco al relitto era
sempre libero. Ma se non trovavi posto era meglio
che il marciapiede, dove i casacca gialla facevano
la multa. Giravano compíti tra macchina e macchina. I maschi magri con i calzoni vuoti. Le ca-
sacche gli stavano sempre troppo grandi. Le donne no, ce n'erano anche di culone. Tutte ricce, o
quasi. Erano fatti cosí i casacca gialla. Incedevano
concentrati con un blocchetto in mano. E in faccia
solo una certezza: io ora faccio il mio lavoro.

Qualcosa comunque non andava, Elena lo aveva capito dalla fretta di Marco. Quando lui aveva
fretta e l'abbracciava come con Saulasamba II, significava che stava per capitarle una rogna.

– Niente Fregene. Saverio mi ha chiesto un favore.

– Ma 'sti cazzi di quello stronzo! Io oggi voglio andare al mare, capito?

– Escluso. Elena, se non vado a prendergli la roba a Porta Portese mi rovina. Tu non ci vivi insieme, tu non lo sai proprio com'è.

– Io lo so com'è.

– Allora non fare storie inutili.

– Saverio non c'entra niente, sei tu che non vuoi. Di' la verità. Non ti va perché sei geloso.

– Di che?

– Oscar insegna. E tu sei il nulla che guarda.

Elena era immobile, aveva il casco in testa, le mani in tasca e mollava calci alla marmitta del motorino di Marco, per non mollarli direttamente a lui.

– Torniamo presto, su...

– Forse non hai capito, io non torno da nessuna parte, non vengo proprio. E sentiamo, perché non ci va lui?

– Dorme. C'è già andato, stanotte alle quattro e mezza, ma aveva altro da fare.

– Che?

– Non fare la scema, a uno che conosce hanno inculato la Larrivée. Eddai ma che ti costa? Ci porta alla festa organizzata da «Orange Valley», me lo ha detto lui.

– Ci porta? – sputò fuori Elena, sentiva puzza di fregatura.

– Sí. Lo faccio solo per te, possibile che non lo capisci?

– A 'sto punto me ne andavo via presto, con Oscar!

– Belle dc, belle vecchie, sono sue? – commentò Marco pestandole un piede. – Mi fai pena, non ti

impegni, continua a farti fottere in testa da quel
pazzo.

– Che pazzo?

– Lo sai benissimo.

– Se me le sporchi meglio, mi fai pure un favore...

– Tanto sono sue.

– Come fanno a essere di Oscar? Vabbè che te
c'hai problemi con le scarpe, ma io porto trentot-
to di piede!

– Sue nel senso che te le ha regalate lui.

– I regali non sono di chi li fa.

– Certe volte sí.

– Andiamo, andiamo a fare i servi a quel ciccione sgonfiato.

– Saverio non è un ciccione.

– C'ha pure le smagliature sulla pancia.

– Quando le hai viste?

– In piscina... ma non me lo ricordo bene.

– Tu in piscina non ci vai.

– Tu in piscina non ci vai... dove le avrò viste
mai?

Elena lo sfotteva, rifacendogli il verso. Le sue
cosce stringevano e mollavano quelle dell'amico alla guida del motorino.

– Muoviti, guarda che il Sudato, come si chiama quello, smonta il banco. Ma l'hanno ritrovata
la chitarra? – lo incalzò, rassegnata al cambio di
programma.

– Figurati, una Larrivée sparisce al volo. Teori-
camente per ritrovarla dovresti dormire davanti al
banco giusto, ma non ho capito bene come... .

– Però come si fa a smaniare per quel bordello
pieno d'intarsi. Suona ibrido, ammettilo, non ha
proprio senso.

– Piace parecchio. La roba acustica costa. Ma tu come lo sai?

– Che?

– Che suona ibrido. Che ne sai te della roba acustica?

– Te lo ricordi Ric?

– L'ex di tua madre? Già, quello era un liutaio.

Elena, fiera della sua preparazione tecnica, rimpianse un po' di essersela rivenduta in assenza di Saverio e di gente che conta e valuta. Avvolse la sua sciarpa in un ennesimo giro intorno al collo. Una principessina africana, diceva Scauri, quando la vedeva entrare a scuola. Marco finalmente mise in moto.

– Ti ricordi quando mi ha fatto vedere il tatuaggio nuovo? Dài, c'eri pure te. Le ho viste cosí le smagliature.

Marco andava rassicurato, non doveva saperlo che lei e Saverio avevano scopato. Avrebbe combinato casini gelosi. E i casini gelosi sono il rischio peggiore che corrono le persone che hanno parecchio da fare.

Gli occhi di lui andarono a finire sullo specchietto retrovisore dove le labbra di lei erano perfettamente disegnate.

Elena e Marco parlavano poco in motorino, ogni tanto lei diceva: – Attento! – o lo pregava di andare piano e di non svicolare troppo. Tutto il resto stava nello stare attaccati l'uno all'altra grazie a una scusa plausibile, la sella corta. Marco era un po' imbarazzato per quell'intimità condivisa nel traffico, all'aperto. Il loro dopo tutto era un rapporto segreto. Lui aveva una ragazza in carica e in regola, molto impegnativa. E nessuno avrebbe capito perché non gli bastava.

– Ti piace quella macchina?

– Quale?

– Quella.

– Ma che ne so! Non le riconosco mai le macchine.

– E certo. Tu mica c'hai gusti. Tu ti pigli tutto.
Elena gli diede un morso sul collo e non commentò la battuta. Non le commentava mai, erano
le solite provocazioni di Marco quando voleva che
lei fosse un'altra a tutti i costi. Piú Elena era Elena, piú lui la voleva diversa, però la voleva comunque. Quella mattina viale Trastevere era
sgombro fino all'altezza di piazza Mastai. Solo
una comitiva turistica attraversava disordinata la
strada, malgrado l'impegno di ognuno a rimanere
unito all'altro. Raggiungevano il pullman parcheggiato male, grande e grosso opprimeva lo spazio risicato, sulle fiancate strisce marroni e panna, targa gialla.

– Vanno dal Papa.

– Che ne sai? Mica sta qua il Papa.

– Tutti quelli vestiti di viola, dovunque li vedi
a Roma, vanno dal Papa.

– Elena, che c'entra?

– Guardale le cose, sono sempre vestiti di viola.

– Il Papa è viola, gli altri non lo so, – disse Marco, incuriosito.

– No, lui è brillante. È vestito da caramella.

– Stai in fissa coi vestiti del Papa?

– Un po', sono bellissimi.
Superato il palazzo bitorzoluto del ministero, il
mercato si faceva finalmente sentire. Un giorno di
lavoro a pieno ritmo.

– Non passare sulle rotaie! – disse Elena che
aveva paura di cadere.

– È già tardi. Parcheggiamo in fondo cosí evitiamo piazza Ippolito Nievo e ci arriviamo da dietro.

Dalle uscite laterali sbucavano uomini soli con il loro bottino rinchiuso in piccole buste celesti. Incedevano senza fretta, oramai quel che c'era da fare era fatto. Missione compiuta. Nei loro passi lenti e appagati era di nuovo domenica. Elena aveva paura della ressa, però le piaceva passarci accanto, sentirla vicina, spiarla. Suggerí al suo compagno di passare dietro i banchi. Tra i furgoni e il marciapiede, per fare prima. Marco tenendola stretta per un gomito la seguiva. Tra un Fiorino e l'altro lei valutava i possibili ingressi e ogni volta era tentata di entrare, di farsi avanti. Poi riprendeva la sua marcia parallela. Marco la strattonava a sé perché non capiva dove volesse andare. Avere una guida incerta lo innervosiva. Un uomo gli passò accanto urtandoli, aveva una bambina pallida in braccio. Marco imprecò dietro di loro qualcosa, ma il tizio non ci fece caso e proseguí. La mano della bambina però li salutava da dietro la spalla nappata e lucida di lui.

Sotto i loro piedi scorrevano fili elettrici e pezzi di cartone.

– Poveraccia, chissà dove la porta, – disse Marco, mentre Elena del destino di quella bambina se ne sbatteva. L'unica pena che provava era per i portoni delle case intrappolati dal mercato. Era strano come un portone fosse tale solo visto da lontano. Da vicino sembrava una frana nel muro.

– Secondo te, ci riescono a cacciare 'sto casino?

– Chi?

– Gli abitanti.

– Ma che ne so! Perché, lo vogliono cacciare?

– Tu ci sei mai venuto nei giorni normali?

– Sí, e certo. Bisogna pulire un po' perché la piazza fa schifo, ma i blocchi di marmo in mezzo sono praticabili, belli.

– Ci torni con me?

– Vediamo.

Era arrivato il momento di entrare per davvero. Elena fece passare Marco avanti e lo seguí afferrandogli la mano. Aveva le mani mosce, due pezze umide, adatte alle sue carezze timide. Ora marciavano piano, rallentati, andavano come gli imponevano gli altri, si ritagliavano i percorsi cosí come venivano. Due negre ridevano sguaiate con le mani affogate in una collina di scarpe. Una delle due sputò per terra e Marco scostò Elena al volo. – Qui è lo schifo totale, – cosí le disse.

Elena si trascinava, sballottata. Gli odori erano cosí tanti che ne sentivi uno solo e non era per niente buono. A tratti quell'avvertimento di disgusto diventava pesante se i rifiuti avevano la meglio sul resto, o la roba da mangiare appesa ai ganci mandava in giro tracce di sé per niente rassicuranti.

Il budello affollato si allargò un poco e Marco le disse di resistere perché erano fuori dal peggio. Elena, di nuovo in grado di porre una distanza tra sé e tutto il resto, commentò un vecchio lume colorato dicendo che forse nella sua stanza ci sarebbe stato bene. Marco non la stava a sentire, si scostò in un gesto rapido la cinghia dello zaino dalla spalla.

– Eccolo, sta lí in fondo.

Si fermarono finalmente, davanti a un uomo sui sessanta che aveva un berretto da baseball appena calcato in testa, lunghi capelli grigi e barba bianca da cui spuntava la bocca rossa. La fica di una vecchia.

– Ora ve dò tutto, aspetta che finisco col signore.

Elena rovesciò gli occhi esausti sul banco del Sudato, notando per prima cosa che quello non era sudato per niente e che i soprannomi a volte sono misteri.

– Non è sudato, – sussurrò a Marco che aveva già aperto un numero doppio di «Cinesex» datato febbraio '69.

– Certo, non è lui il Sudato.

Elena ci rimase un po' male. Ora lo voleva vedere il pusher di Saverio, quello che gli passava i pezzi vecchi, che lui ripassava a chi ci sapeva fare a montare. E alla fine rifilavano skate riassemblati a principianti viziati che non volevano fare la figura dei senza un graffio in tavola. Marco le suggerí di guardare meglio, dentro il furgone in fondo. Allora due gambe corte paludate in una stoffa scozzese la riempirono di gioia.

– Sta là dentro, ho capito, – gli disse stringendogli il polso, eccitata.

– Come va Sgori'! – disse Marco cedendo il palmo libero a un ragazzo biondo che andava e veniva da un capo all'altro del banco, con una maglia che gli arrivava fin sotto il ginocchio. Vestiva largo, di sicuro a lui piaceva l'hip hop. Ma se qualcuno lí in mezzo aveva i contatti con i bravi che cambiano spesso le tavole e le rimettono in circolo, quel qualcuno era lui. Il Sudato era il capo di tutto. Il ragazzo un braccio del commercio e la fica vecchia un commesso.

Elena continuava a fissare il furgone. Il Sudato stava fermo, ogni tanto puntava i piedi e il tallone gli usciva fuori dai mocassini neri. Lei aprí un numero di «Rakam» per non dare nell'occhio.

– Ma chi le colleziona queste?

– Un boato de gente, – le rispose Sgorino, a cui lei era subito piaciuta, tanto che aveva dato diverse pacche di intesa a Marco.

– Eccoli qua. A paga' poi se regola lui, – disse l'uomo con la barba buttando sopra un mucchio di riviste una busta piena di vitoni e dadi.

La massa a scacchi balzò fuori dal furgone.

– Ci penso io alle partecipazioni?

Il Sudato parlava da solo. Elena accertò che era davvero sudato quando quello tirò fuori dalla tasca un fazzolettino di lino chiaro e se lo passò sulle guance porcine. Pareva un enorme bambino beneducato. Baciò Marco sulla fronte.

– Come ti sei fatto grande. Suoni sempre?

Marco rispose di sí perché non gli andava di dargli un dispiacere uscendosene con la storia che lui poteva fare solo la ritmica e la faceva pure male.

– E tu chi sei, bella? Bella sul serio, io ci sto attento alle ragazze, perché amo gli uomini.

Elena ebbe un sussulto, il Sudato era frocio e tutto cosí era molto piú chiaro.

– Mi appassiona il genere umano.

Al Sudato piacevano tutti, uomini e donne, e ora la situazione era di nuovo ingarbugliata. Elena aveva davanti a sé un portento, un ingombro impraticabile e affabile. Chiese a Marco di andare via, ma lui sorrideva piantato al suo posto come uno scemo. Davanti al Sudato non potevi fare altro.

– Ripeto, è proprio bellina, ma dove l'hai trovata?

– Non è la donna mia, – rispose Marco con tono poco convinto sebbene stranamente ostile. – È una di quelle di Saverio.

– Certo, Saverio se ne intende. Ma tu non ti devi contentare degli avanzi. Trovatene una uguale,
se la trovi. E non è detto.

Elena era confusa. Le sue guance si erano arrossate per l'emozione o per la calca, tant' è che
erano paonazze. Da una parte tutti quegli strani
complimenti appiccicosi del Sudato l'avevano fatta sentire importante, dall'altra non capiva perché
Marco avesse inventato quella storia su lei e Saverio. Si allontanò, salutando e ringraziando il Sudato che le fece *ciao ciao* con la mano piena di anel-
li incastonati. Trascinò Marco che a sua volta trascinava anche lui una busta celeste. Senza dirsi una
parola che non fosse un mugugno legato al per-
corso da fare, furono di nuovo fuori dal mercato.

Marco riparlò per primo: – Ora andiamo io e te
soli a casa, chiaro?

– Facciamo presto. Devo studiare storia, – rispose lei recuperando al volo il cappello rimasto
appeso per miracolo al lembo della giacca. Le mollette le aveva perse.

Cinque.

Tanta premura per niente. Il supplente di storia non l'aveva interrogata. I supplenti fanno sempre sorprese, perché non sono professori veri, ma appunto supplenti. C'era gente che aveva perso l'anno per le sorprese di un supplente. Di sicuro gente sola. Senza genitori che ti salvano il culo. E spiegano le cose come stanno veramente ai professori.

Elena ora carezzava l'idea di fumarsi una sigaretta in cortile al cambio dell'ora. Ma prima doveva affrontare la questione Silvia. Forse la sigaretta a questo giro saltava. E pazienza, si può sempre fare senza. Silvia occupava dall'inizio del quadrimestre il secondo banco. Vicino a lei c'era Marta, era un problema. L'ideale poi sarebbe stato che anche Barbara e Marina sparissero dalla circolazione. Silvia da sola, questo le serviva in quel momento. In caso contrario, l'avrebbe aspettata all'uscita, ma aveva proprio fretta di accordarsi a vista. Al telefono Silvia non le rispondeva quasi mai.

Il suono della campanella arrivò stranito, i soliti problemi al circuito elettrico. Elena seguiva i movimenti delle ragazze, allo stesso tempo tentava di togliersi di torno Antonio. Le pizzicava l'avambraccio, convinto che lei portasse fortuna. E sentiva di averne parecchio bisogno. Il giorno prima si era ingoiato uno spicchio di vetro bello grosso, per sbaglio.

Marta finalmente sollevò il suo sacro culo dalla sedia. Scivolò fuori dal banco, lenta e densa come una colata di balsamo. Trascinando l'indice sulla lavagna, tanto per fare una cosa carina da vedere, uscí. Ora era via libera. Quasi via libera. Le altre due c'erano. Distratte da Muso di mulo che raccontava la storia di un tipo che faceva la doccia, sei volte al giorno. Si lavava per dimenticare la morte di un altro. Sotto l'acqua ci pensava cosí tanto che quando usciva era stanco di pensarci. E per un po' reggeva, poi si ributtava sotto. Una teoria cosí. Forse il morto era il fratello del tipo, o un fratello in generale, Elena non se lo ricordava. Muso l'aveva raccontata anche a lei quella storia. Da dietro non lo sentiva bene. Ma visto che Muso saltava come se ci stesse lui sotto il getto, era la stessa storia. Non ne aveva altre a disposizione, per lo meno quella settimana. Barbara e Marina sembravano prese dal racconto. E non avrebbero fatto caso alle sue mosse, o magari sí. Era un rischio, ma era anche il momento di agire. Si avvicinò a Silvia e le chiese di vedersi nel pomeriggio. Silvia però stava zitta, i suoi occhi pieni, senza traccia di bianco dentro, si erano smarriti nel loro segreto nero.

Elena non la mollava, doveva convincerla prima che ricomparisse Marta sulla porta. Se le beccava insieme era la fine. Silvia si sarebbe innervosita, Marta avrebbe fatto la sua faccia delusa. E cosí, tutto a monte.

– Allora, vengo? Te le porto. Sono otto, belle lunghe. Le piazzi bene queste, fidati.

Ma Silvia metteva in fila le sue penne e non fiatava.

– Poi considera che ho parlato con Luca, devo anche dirti alcune cose, serie.

– Queste dimmele subito, – le rispose Silvia emozionata davvero, di un'emozione finta. Luca era un pretesto. Tutto per lei era una scusa. L'importante era che chiunque le dicesse le cose, presto.

– Sei scema? Ora non si può.

– Ma sono buone notizie?

– Sono notizie, tu le devi valutare. Io che ne so.

Adesso poteva anche smettere i panni della supplice e tornare nei suoi. Era fatta, l'aveva agganciata. Si rialzò.

– Lasciamo perdere, troverò io il modo di smaltirle in giro, – aggiunse noncurante.

Tornò al suo banco, diede una spinta leggera a Oscar. E lui le disse: – Fottiti –. Tutto contento per l'imprevisto contatto.

Scauri entrò. Portava un grosso pacco tra le braccia. Se non fosse stato per l'ingombro nessuno lo avrebbe notato entrare. Scauri appariva e scompariva di colpo. Come le luci sull'albero di Natale. Anche Marta era di nuovo al suo posto, da dietro i suoi capelli spuntavano a mazzi duri dalle pieghe della giacca. Da dietro Marta era perfino brutta e di certo non se lo immaginava, consapevole del suo musino delicato, sempre bello uguale.

Quando ci fu silenzio di voci, ma non di rumori, Scauri scartò il pacco, era pieno zeppo di libri. Poi dispose in bella vista i suoi tre quaderni, verdi. Spesso non faceva lezione. E loro dovevano stare zitti e fermi per un'ora. Mentre lui scriveva lento come uno delle elementari, lettere. Ai giornali, all'università, a certi amici suoi che vivevano a Vicenza. Perché sempre li informava sui destinatari

delle lettere, mai sul contenuto. Finita l'ora andava a batterle e le inviava dal computer della sala
professori. Era sposato, senza figli. Ma loro li aveva ribattezzati, tutti. Con i nomi che piacevano a
lui. Cosí era fatto l'appello di Scauri. Elena la chiamava Lucciola. E, secondo lui, doveva esserne felice perché i nomi sono belli se significano molte
cose, diverse. Lucciola per lei significava campagna, buio, umido, luce. Scauri le aveva suggerito:
passeggiatrice.

Silvia, ribattezzata Cicala, rispose presto, era in
cima all'appello. Non tutti si ricordavano al volo
il loro secondo nome, Scauri glielo cambiava ogni
anno, e lei approfittò della confusione generale per
girarsi verso Elena e alzare quattro dita della mano destra, che significava: «da me alle quattro».
A Elena non rimaneva che inventarsi un paio di
storie credibili su Luca. Anzi, all'uscita magari gli
avrebbe parlato per davvero. Cosí faticava meno.
Quando la voce di Scauri scandí: – Sirena, – che
era il nome in appello di Oscar, Elena gridò: – Coglione, tu devi smetterla –. Antonio le aveva tagliato un pezzo di felpa.

Scauri si sfilò una matita da dietro l'orecchio, la
mise in bocca, chiuse gli occhi e lentamente dichiarò alla classe: – Lucciola, ti devo sentire in greco, ma oggi è ancora presto.

Luca era un tipo strano. Parlava poco, ma male
di tutti. L'unica cosa che gli piaceva era il suo cane, Boxo. Slanciato e agile, Luca era uno spreco di
grazia in movimento. Elena lo chiamava l'uomo
decorativo. Al Foro Oscar lo buttava spesso avanti quando c'era da dimostrare agli altri eleganza
sulla tavola. O anche quando voleva rimorchiare

a spese sue, cosí diceva. Perché Luca attirava le donne e poi non se le faceva. Ora l'uomo decorativo camminava svelto davanti a lei che doveva corrergli dietro.

– Che c'è?

– Niente, devo parlarti.

– E di che?

– Parliamo, se ti fermi.

– Non posso. Vieni alle sei al parco. Se non mi vedi aspettami che tanto prima o poi arrivo.

– Non possiamo parlare ora?

Luca si stava irritando, quasi fermo la guardava male.

– D'accordo, allora passo alle sei, – disse lei rassegnata alla sua legge. In fondo andava bene lo stesso, intanto bastava dire a Silvia che prima o poi avrebbe avuto notizie. Le notizie peraltro non sarebbero state un granché, tanto valeva aspettarle.

Si fece un giro al supermercato. A casa non c'era nessuno e non aveva fretta di tornare. Accovacciata davanti allo scaffale degli assorbenti, non capiva perché in quel cavolo di Sma dovessero piazzarli sempre in basso. Stipati sul fondo. Irraggiungibili. Notte, Notte Super, Lines Idea Ultra, Lines Seta Ali. Per scaramanzia ne voleva un pacco. Anche perché Anna si sarebbe insospettita non vedendoli apparire nel cassetto del bagno. Prese gli Ali, i suoi preferiti, anche se le ali erano una fregatura quando si staccavano dai bordi degli slip appiccicandosi ai pantaloni. Ci ripensò e afferrò i Notte, piú grossi e lunghi. Convinta che fare proprio le stesse cose, come se niente fosse, volesse dire portarsi sfiga. Antonio le aveva attaccato prima la mania dei fioretti, poi quella delle penitenze, dei sacrifici e ultimamente anche quella delle sfighe.

Avventurandosi verso la cassa, Elena si pentí amaramente di non aver preso il cestino. Prendeva sempre piú cose di quanto si fosse immaginata e la fila alla Sma era eterna, i cassieri dormivano cullati dal bip del codice a barre. Sebbene in difficoltà, nessuno la fece passare avanti come accadeva a certe vecchie che avevano tutte le fortune senza meritarsele. La fila tra l'altro era di quelle toste. Una giovane madre, giovane nel senso che aveva un figlio piccolo vicino, stava davanti a lei con un carrello pieno di pomodori pelati e birre. Davanti a loro un filippino di mezz'età aveva appoggiato il mento a una confezione di costolette di maiale, mentre dall'altra mano penzolava una rete di limoni verdi. Ogni tanto si grattava le tempie sfruttando come meglio poteva gli angoli morbidi del vassoietto di polistirolo. Piú in su di quello Elena non vedeva. Mentre al suo fianco una mezza pazza, truccata di azzurro forte, tirava su e giú i prodotti dal carrello ricontrollandone i prezzi, emettendo lamenti. Elena non era una che cambiava fila, si vergognava di farlo. Non lo faceva in motorino, alle casse, non lo faceva a scuola, non lo faceva mai. E odiava quelli che lo facevano. Sua madre rientrava nella categoria. Se c'hai le palle, la salti una fila. I mezzi onesti per fregare gli altri, non le piacevano. Dalla piramide di tonno in promozione apparve una ragazza senza nulla in mano. Nulla che non fosse la sua borsa e un lembo del cappottino maculato strettissimo in vita. Da sotto spuntavano un paio di jeans da collezione e sotto ancora le calze con le stelle rosse ricamate. Poi era in pantofole. Cioè, con un paio di scarpe mor-

bidissime che sembravano pantofole. Forse se le
cose le giravano bene poteva diventare una come
quella, prima o poi. Una che lo stile se lo è co-
struito pezzo per pezzo, rubando pezzi di stile a
tutti gli altri.

Mangiò come era sua abitudine, in piedi davanti
al frigo. Valutava il cibo, poi azzannava. Il ritardo le era entrato in testa, difficile da bloccare e capire una volta per tutte. Sfuggente, come la matematica. Aveva corso qualche rischio, ma era già capitato altre volte. Niente test comunque, lei non
era come sua madre che il test se lo faceva un mese sí e l'altro no. «Non è apparsa la riga nella finestra, vero?» Cosí le chiedeva Anna con la penna di plastica in mano e la faccia impaurita. Le mestruazioni anche a Elena sarebbero tornate, magari
con l'acqua diretta. Scacciò via quel pensiero ri-
chiudendo forte il frigo, ma non se ne liberò. Non
si poteva nemmeno fare la doccia come il tipo della storia di Muso. Si attaccò a un nuovo progetto,
ripulire il fondo del secchio macchiato di unto.
Farlo senza sprecare le riserve d'acqua era una cosa laboriosa. Ma il pensiero stava sempre lí acquattato in un angolo della sua testa, mentre lei
era solo piú stanca. Di progetto in progetto, arrivarono le quattro.

Uscí di casa, trascinando una grossa sacca di tela. Incontrò Marco che invece andava al suo turno di lavoro all'Hotel Panda. Faceva il facchino,
due volte la settimana. Saverio gli aveva lasciato
in eredità quel lavoretto.
    – Parti? – le chiese.
    – Affari miei.

– Divertiti.

– Anche tu.

– Ma io vado a lavorare, lo sai, – le rispose fiero. Elena gli rise in faccia, grattandosi all'attaccatura, appena sotto il cappello.

– Gran lavoro, indispensabile, – aggiunse. Gli stava bene. Nessuno si vanta di fare il facchino, a meno che non sia uno scemo che lavora per finta.

A Marco non piaceva essere preso in giro. Era permaloso, piú che altro facile agli imbarazzi. Eppure non riusciva a non seguirla con lo sguardo, qualsiasi cosa facesse. Elena era il suo spettacolo ambulante, l'avrebbe seguita in capo al mondo. Se il mondo fosse stato un altro e non il loro.

– Elena, – la chiamò sicuro, perché gli piaceva il suo nome, era bello da dire. Mentre lei si allontanava sgattaiolando tra le macchine ferme.

– Che c'è?

– Quando ci vediamo?

Elena non gli rispose, entrò nel portone del palazzo di Silvia, il 41.

Non era tanto che Silvia viveva lí. Prima stava a Settecamini. *Un posto molto bello e verde ma un po' troppo fuori*. Silvia diceva cosí, quando raccontava agli altri la sua vita di prima. L'ascensore del 41 era stretto e lento come una bara. Anche quel giorno puzzava, ovvio. Puzzava di metallo rancido. Lo specchio però dimagriva, tutto ciò che stava fuori non lo riguardava. Lí dentro c'era di che stare tranquilli per l'eternità.

Silvia l'aspettava sulla porta con le ciabatte rosse sfilacciate e una bacchetta conficcata sulla testa a tenerle raccolti i capelli. Elena la sfilò via passando, fare dispetti gratuiti la metteva a suo agio. E la casa di Silvia era una casa difficile da digeri-

re. Piccola, pesante e pulitissima. Ci si era suicida-
ta una contessa dentro. Ammesso che fosse real-
mente esistita, la suicida non era una contessa. Lí
dentro però qualcuno c'era morto e si vedeva. C'era
sempre una verità piú vera del vero, in fondo alle
bugie di Silvia. Pochi frequentavano quella casa.
Sarà che lei dava sempre a intendere che la sua fosse una reggia. E suo padre un uomo potentissimo,
ricchissimo, sempre in viaggio, pieno di conoscen-
ze importanti e mezzo francese. Suo padre in realtà
era un agente di pubblica sicurezza. Lui non pro-
nunciava mai la parola poliziotto senza prima spie-
garla bene. Era potente come può esserlo un poliziotto. Ricco pure, come un poliziotto. In viaggio
non ci andava mai. Era nato a Castelvetrano. Un
posto, secondo lui, identico a Tunisi.

Sedute alla scrivania come quando erano com-
pagne di banco, Silvia le offrí un'aranciata. Lei ri-
fiutò. Silvia le permetteva di vedere chi era per
davvero, perché Elena non contava e si faceva gli
affari suoi. E poi loro due erano amiche, non per
interesse. Cosí Silvia le ripeteva, di solito quando tirava in ballo la faccenda delle alleanze. Una
faccenda noiosissima e untuosa come quasi tutto
ciò che la sua amica le diceva. Era stupida. Era
prima di tutto furba. E poi stùpida. Qualche volta misteriosamente grande per la sua età, quasi
vecchia.

– Puoi aprire la serranda, mi dà fastidio la luce
elettrica di giorno, – le chiese, perché Silvia si tap-
pava sempre dentro.

– Ma tanto la luce entra per poco e la dobbiamo lasciare accesa comunque.

– Aprila. Ho detto aprila. Non si vedono bene
i colori.

Elena aveva un tono cosí minaccioso che Silvia si sentí in pericolo.

– Cosí va bene?

– Di piú.

– Ma gli infissi non reggono, entrano gli spifferi.

Si alzò, strinse le mani di Silvia nelle sue e tirò con forza la cinghia della serranda. Poi scostò la tenda a metà, una luce fiacca si avventurò nella stanza.

Dalla sacca di tela Elena tirò fuori prima un gomitolo pelosissimo. Poi un ferro grosso, poi il compagno. Infine una massa d'oro e angora. Otto sciarpe lunghe e morbide riempirono quella tomba di stanza.

– Le ho fatte cosí queste. Cinquanta euro. Venticinque e venticinque, mi pare giusto.

Silvia fece un salto di gioia. E sprofondò la faccia in quella massa dorata, come una gazza.

– Magnifiche, – disse e la voce era ovattata dalla lana. – Ma come ti escono 'ste idee! – continuò a dire, sollevandosi. Era piena di peli sulla faccia. – Sessanta, – aggiunse, – queste dico che le ha fatte Gilbert e le mettiamo a sessanta.

– Basta che le vendi, non esagerare.

Gilbert era il loro stilista fantasma, un greco che lavorava solo per gli attori e la gente del cinema. Un'invenzione perfetta di Silvia. L'anno prima Gilbert le sciarpe le aveva fatte a righe. E ci si erano quasi arricchite. Quest'anno che le righe avevano rotto il cazzo, l'idea dell'oro peloso poteva fare altrettanto.

Elena si mise a sferruzzare sul letto, mentre Silvia palpava quel tesoro muta. Ogni tanto la scrutava incredula. Poi si provò una sciarpa davanti allo specchio e mangiandosi l'interno delle guance le disse:

– Senti Ele, a te lo devo dire, ma giura che stai zitta.

– Giuro, – le rispose Elena, non distogliendo gli occhi dai ferri. Voleva trovare un modo di passarci una fettuccia di panno. Per arricciarle, volendo.

– Mi hanno adottata.

– Chi?

– I miei genitori, cioè questi qua.

E indicò una cartolina appiccicata al pannello di sughero sopra la scrivania. In un cuore c'era scritto «baci da Vico Garganico».

– Loro non sono i miei veri genitori, mi capisci ora?

– Non dire cazzate. Senti Silvia, togliti la sciarpa che la rovini e parliamo di cose serie, ho visto Luca. Mi è sembrato meno pazzo del solito, non so come dirti piú comunicativo.

– Non sono i miei veri genitori!

– Basta, tu gli somigli. Sei identica, a tutti e due.

– La gente stando insieme diventa uguale, anche fisicamente, non lo sai?

– Non dire stronzate, e invece senti: a un certo punto mentre parlavo con Luca mi è arrivato un messaggio di Oscar e ho fatto finta che fosse tuo, cosí ti ho nominato. La reazione c'è stata, te lo assicuro.

– Cioè? Che ha detto? – disse Silvia parecchio avvilita perché voleva portare avanti la storia dell'adozione un po' piú a lungo. Elena non le aveva dato nessuna soddisfazione.

– Niente, lo sai come è fatto. Però ha cambiato umore, si è intimidito.

– Che?

– Insomma, sembrava imbarazzato. Senti, gli piaci, è solo questione di tempo. Domani ti dico anche altro perché gli devo dare un paio di cd e ci vediamo alle sei al parco. Perché invece non vieni pure te?

– Sei pazza? Non posso.

– Sei una cretina, siete due cretini. Vedi, lui fa cosí con te perché è come te.

Silvia non le credeva nemmeno un po' ma le faceva piacere starla a sentire. Le cose dritte, come le vedeva Elena, funzionavano.

– Che ti dice Oscar?

– Ma guarda che sei strana, che ti frega ora di Oscar?

– Di te mi frega, non di Oscar!

– Devi venire alle sei, capito?

– No.

– Se è per quella storia che non ti va di farti vedere in giro con me, allora facciamo finta che ci siamo incontrate per caso.

– Ma ti pare, Elena noi siamo amiche, che dici!

– Dico la verità e anche tu dovresti dirla, ogni tanto.

– Allora? Vi siete rivisti con Oscar?

– Sí, ieri.

– Che è successo? Non mi dire che lo hai fatto ancora venire sui tuoi capelli?

– Di' a Marina che quello non è capace di infilare il cazzo nel culo e ci abbiamo provato per l'ennesima volta.

– Parla piano, che c'entra Marina? Io non sono amica sua, mi serve, ogni tanto. Ma come non è capace? Magari è a te che fa male?

– No a me non fa per niente male. Ora silenzio.

– È vero che ti obbliga a scrivere porcate per sms?

– Non mi obbliga nessuno. Chi te lo ha detto?

– Lui.

– Chi te lo ha detto?

– Lui.

– Lui non parla mai di Gioia.

– Chi è Gioia?

– La troia virtuale.

– State messi bene… Perché l'avete chiamata Gioia? Mia zia si chiama Gioia.

– Senti Silvia, pensiamo invece a come organizzare la vendita. Le porti tutte insieme o una alla volta?

Elena le aveva puntato il ferro addosso. Silvia raccolse in sé la forza di tutta un'orchestra per sputare fuori quel che le rimaneva da dire, prima di mettere a punto il piano vendite.

– Amica mia, se tocchi Luca, dico a Marta che ti fai Marco.

– Già glielo hai detto.

– Allora dico che hai fatto un pompino a Scauri.

– Non è vero. E poi non fregherebbe niente a nessuno.

– Allora dico che hai rubato tu lo skate di Oscar.

– Lo hai già fatto.

– Va bene, te la sei voluta: dico a Marco che ti fai Saverio.

Elena rispose calma come si fa con un degno avversario: – Non hai prove. Comunque, io Luca non lo tocco. E lui non tocca me, d'accordo.

Sei.

Elena non sapeva a quale panchina l'avrebbe raggiunta l'uomo decorativo. Nella gerarchia dei ricordi di loro due lí, erano tutte uguali. E quello che contava non erano certo le panchine, ma i corrimano della scala che ti portava sul piazzale. I maledetti rail. Scendendo li accarezzò con devozione. Non le conveniva allontanarsi tanto, tra meno di un'ora avrebbero chiuso i cancelli e l'idea di rimanere intrappolata dentro non era nemmeno lontanamente un'avventura, ma un incubo nero di rami e voci animali.

Si mise a sedere davanti all'albero mozzo. E non le piaceva aspettare. Tanto meno stare ferma, con la smania alle ginocchia. La domenica pomeriggio intorno all'albero mozzo ci beccava i Mobi, come chiamava lei un certo gruppo. Facevano una vita datata. A testa bassa si rollavano canne, sbattevano le mani su tamburi enormi, ogni tanto qualcuno gridava: «Bush assassino». Però *American Idiot* non se lo era comprato nessuno di loro, perché dicevano che i Green Day si erano venduti all'industria. Nina era la reginetta dei Mobi, e quando Saverio portava qualcuno a un concerto valido quel qualcuno era sempre lei. Elena fissava la terra, dove un tempo c'era un pavimento, ormai infestato da ciuffi d'erba. Il vero prato stava oltre la siepe,

da lí cominciava il parco. Appena sotto la scala,
per qualche metro, loro tenevano un po' pulito.
Ripiombare con la tavola sul bordello era difficile
e pericoloso, a parte Oscar non se lo poteva per-
mettere nessuno.

Ma il parco non era roba per loro che vivevano
in un mondo calvo. Era roba di Nina, la tambura,
che va ai concerti validi perché cosí ha deciso qualcuno. Tra ciuffi d'erba, avanzi di cartine e lattine
di birra, non le veniva su manco la voglia di valutare le ingiustizie della vita a mente fredda.

A quell'ora comunque non c'era nessuno. Solo
una signora fissava il suo cane pisciare con pacifi-
ca assenza di pudore. Elena aveva fatto il dog-sit-
ter quell'estate e mentre i cani facevano i loro bi-
sogni girava la testa dall'altra parte. Perché lei non
era la padrona di nessuno. Stringendo le ginocchia
sfondate, come se toccandosi l'una contro l'altra
si potessero consolare, Elena malediceva Silvia e
il suo amore finto. Ripensò alle sciarpe che le aveva mollato in conto vendita, e le risalí un po' di
entusiasmo in corpo. Sfilò la tavola dallo zaino e
l'abbracciò. Prese a cullarla cantando una cosa stupida che la faceva ancora diventare triste. Come
da piccola quando gliela cantava la portiera perché
Anna usciva.

Fate la ninna che è passato Peppe,
aveva le scarpette tutte rotte.

Cullava e cantava per «Everybody Loves Leo»,
cosí c'era scritto sulla sua tavola. Una «o» era quasi sparita, doveva ricalcarla o sporcarla del tutto,
magari Antonio le avrebbe fatto quel favore. Se
non proprio a lei almeno a Leo Romero. Uno ama-
to da tutti, appunto. E da lei specialmente. Leo era
una freccia lucida che non si ferma. Non esisteva

proprio un bersaglio degno di accoglierla. E Oscar diceva che era solo un ragazzino californiano. Un bagnato, una vittima del business. Uno che si sarebbe sfasciato presto. La verità era che Oscar a Romero non poteva far altro che tirargliela. E non si fa. I perfetti ti devono rendere felice.

Una cosa nera ora correva verso di lei, un lupo dal pelo lucido, era Boxo. Luca fischiava benissimo, ti veniva voglia di corrergli incontro anche se non eri un cane. Ma Elena restò dov'era e carezzò il cane con cura, nei punti giusti. Boxo non obbedí al richiamo del padrone, rimase tra le sue gambe e l'annusava. Elena si diede una rapida occhiata intorno, la signora con la sciarpa non c'era piú.
– Ma che cazzo fai?
Elena non rispose perché Luca parlava con il cane. Boxo non si curava di lui e continuava a premere il muso sull'inguine di lei.
– Smettila, idiota. Elena, tu spostati. E sposta lo skate, guarda che lo morde.
Luca afferrò Boxo per le zampe, ma quello ringhiava. Elena allora si alzò mentre il cane si arrampicava sul suo torace. Si slacciò i jeans e lui abbaiò. Luca indietreggiava muto. Elena rimase in mutande sulla panchina e Boxo riprese ad annusarla, poi lei scostò i bordi scoprendosi. Lasciò che Luca la immaginasse leccata dal cane che di fatto non leccava nulla, anzi preferiva l'odore delle mutande. Luca sollevò il muso di Boxo tirandolo via come a fargli lo scalpo.
– Sei una schizzata!
– Vieni tu adesso.
Elena allargò le gambe e Luca esitò qualche istante, poi si arrese in ginocchio. Boxo finalmen-

te libero da tutti e due esplorava in pace le radici emerse e nodose dell'albero mozzo.

Elena lasciò che Luca sfiorasse l'interno della sua coscia con la barba chiara che non si vedeva ma pungeva, poi richiuse le gambe di colpo e lo cacciò via. Luca rimase imbambolato con un paio di guinzagli in pugno.

– Non c'è tempo, stanno chiudendo. E noi ancora dobbiamo parlare.

– No, tu adesso me lo fai fare.

– Scordatelo, non me ne frega niente che ci rimani male.

Luca si passò il dorso della mano sulle labbra come a pulire lo schifo che non era mai accaduto.

– Tanto ai cani non piacciono le donne, – disse lei sfottendolo.

Ma quello rispose: – Infatti, ai cani piacciono le cagne.

Sette.

Sarà stato pure un posto da sfigati. E c'era il rischio che qualche cretino si mettesse in mezzo mentre ti facevi la discesa. Sarà stato solo un lungo bruco di fiche sui pattini. Sarà, ma era bello il Pincio. L'ideale per una mattina tranquilla, lontano dalla scuola. Elena aveva studiato, fino alle tre di notte. Però rimaneva impreparata, non l'aveva capita nemmeno sul traduttore la storia di «O uomini, voi dovete essere giudici tali in questa causa…» Nemmeno in italiano si capiva la storia di Eratostene. D'altra parte, gli insegnanti normali, secondo Anna, affrontavano un testo come quello solo piú avanti. Ma Scauri non seguiva mai il programma. E degli anni come andavano impostati non gli importava. Di certo l'avrebbe interrogata. Sicuro, perché cosí aveva detto e cosí avrebbe fatto. *Le parole sono aria. E noi le dobbiamo fermare, coi fatti.* Era la sua frase preferita, però spesso ci rideva sopra. E non si capiva mai se Scauri parlasse sul serio. Era un bravo professore, quello che diceva ti rimaneva stampato dentro. E poi tornava a galla al momento giusto. Come in tutte le cose, i bravi servono a riempirti la testa di ricordi.

Non c'era movimento quella mattina, di gente dei loro. Gente qualunque ce ne era un sacco in giro. Ma era impossibile invadere il Pincio. Qualsiasi cosa ci capitasse dentro appariva piccola e persa. Il Pincio era piú forte. Un ragazzino, l'unico che conosceva, anche se solo di vista, alzò il braccio come un arco moscio e aggiunse: – Eccola! – Era uno dei baby di Oscar. O almeno ne aveva tutta l'aria. Se ne stava seduto sulla tavola a guardarsi i piedi. I piedi sono interessanti, in certi momenti. Quando ancora non capisci come devi usarli e vorresti che avessero la colla sotto, per attaccare la tavola e non fare il botto. Ma i piedi non sono una cosa morta dentro le scarpe. Tutte cose che non le sa, un principiante.

Elena rispose: – Come va? – sollevando un ciondolo irregolare dallo sterno fino in bocca. Era un avanzo del suo primo skate. Una scheggia di tail, la fine rialzata della tavola. Un avanzo di culo di skate. Farne un ciondolo era stata un'idea di Antonio. Si mise a sedere vicino al ragazzo. Il sole tiepido e sparso gli fiatava accanto.

– Tu sei quella su cui punta Oscar, vero? – le chiese il ragazzino. Portava i capelli a scossa. Era in camicia e non in maglietta, portava le Vans. Di sicuro suonava male qualcosa.

– Sí. Mi ha insegnato lui.

– È uno apposto. E poi è un amico.

– Ti chiede i soldi?

– Quando mi segue per un'ora, sí. Se mi corregge al volo, no.

– Allora non è un amico. Gli amici non si fanno pagare.

– Io preferisco pagare. Non mi piacciono i favori.

Elena allungò le braccia e ci lasciò cadere la testa in mezzo. Aveva fatto la figura dell'ingenua di fronte a un baby. Oscar era molto fortunato ad

avere certi allievi appresso. Primo ci alzava il gra-
no. Secondo erano molto piú in gamba di loro.
    – Quanti anni hai? – gli chiese, e balzò in pie-
di.
    – Quindici, – rispose lui.
    – Come me.
    – Solo che io sembro piú piccolo.
    – È meglio, cosí quando parli sembri piú intel-
ligente.
    – Davvero?
    – Direi.
    Il ragazzo si alzò e le diede un bacio velocissi-
mo sulla bocca. Elena sbarrò gli occhi.
    – Sei pazzo? Lasciami.
    – Ti ho lasciato, – le disse. Mentre lei si allon-
tanava di corsa. Non le era mai capitato che uno
si ergesse come una molla e le stampasse un bacio
senza che se lo aspettasse, a sorpresa. I ragazzi con
lei agivano tranquilli, se la prendevano comoda.
D'altra parte lei non scappava mica. Gli stava davanti come una statua, vestita.
    Saverio però l'aveva intrappolata, che è una co-
sa molto diversa.

    – Marco deve smetterla di fottersi le orecchie
col nu metal, – disse Saverio, lanciando sul sedile
posteriore della macchina un cd nero con una rosa in copertina. Da un petalo sbucavano grosse
gocce di sangue bianco.
    – Marco?
    – Sí, hai presente? Mio fratello.
    – Non mi prendere in giro. Lo so chi è Marco.
    Saverio si era avvicinato a lei senza riflettere su
quello che diceva. Le stringeva la faccia in una conca affettuosa, anche qui senza un motivo chiaro.

Elena si sentiva un animaletto di peluche. A lui piaceva fare la parte di quello grande, sempre.

– Sei carina, sai? Non capisco perché vai a sbatterti con gente come Oscar, non è roba per te. Marco dovrebbe impedirtelo. Io glielo dico sempre.

– Sempre?

– Tutti i giorni, cioè quando parliamo di te.

– Parla di me con te, tutti i giorni?

– Lui meno, non mette mai il discorso per primo. Tu per lui sei come una sorella. È geloso dei suoi argomenti.

Elena non aveva capito che c'entrassero gli argomenti, ma Saverio aveva l'aria di chi ti sta insegnando qualcosa. Anche se di fatto si era sbottonato i pantaloni. E la toccava veloce ovunque, senza soffermarsi. Come se avesse dieci mani attaccate ai polsi. Elena teneva le braccia strette al ventre, per impedirgli il passaggio sotto la maglietta.

– Ma non ti va? – disse lui mentre l'assediava.

– Sí tantissimo è solo che in macchina c'è poco spazio e non mi so muovere.

– Non devi muoverti, fai conto che stiamo in camera mia.

– Ok, come è fatta ora la camera tua? È tanto che non ci vengo.

– Poi ti ci porto se vuoi, adesso fai la brava.

A Elena non andava bene per niente di farlo lí dentro. Ma era cosí che stava andando la cosa. Lui continuava a spingerla contro il finestrino e lei sentiva solo il fastidio del suo fiato alcolico nel naso.

Saverio tirò fuori il suo cazzo che odorava di mangime per pesci. Elena ci si avventò sopra, al mangime era abituata. Ma lui le disse che era irritato lí e la saliva non gli faceva bene. Di fare trop-

pe cose insieme non se la sentiva, voleva direttamente scopare.

– Ma che c'è?

– Niente, scusa, sono emozionata.

– Emozionata? Che tenera, stai calma. Lo abbiamo sempre fatto, ed è andato tutto bene, mi pare.

– Non eravamo in macchina.

– Ma che c'hai contro 'sta macchina?

– È stretta.

– Senti, ora non fare storie, lo hai fatto tappata nel cesso di Fiore!

– Chi te lo ha detto? Silvia?

– Bella, io non credo alle voci, lo sai. Qual è Silvia?

– L'amica di Marta.

– Non me la ricordo, – concluse Saverio, carez-
zandosi l'avambraccio dove un gobbo portava sulle spalle una bilancia. Era un tatuaggio enorme e
brutto. E lo tradiva. Un tempo era piaciuto pure
a lui il nu metal. Marco era uno che alle cose ci si
attaccava. Saverio no, lui sapeva tutto e mollava
tutto quando passava l'ondata. L'ondata era una
cosa che si sforzava continuamente di non chiamare moda.

– Smettila, lasciami fare o ci rimango male per
davvero, – aggiunse e riprese a toccarla.

Lo lasciò fare e quello le infilò una mano di nuovo sotto. Elena avvertí i suoi polpastrelli che sco-
privano qualcosa. Nemmeno lei si era mai toccata
cosí, nemmeno da sola.

– Come è liscia. C'è poca poca pelle, – disse lui,
incuriosito.

– Non mi toccare lí, ti prego.

Saverio alzò di colpo la maglietta. Poi ci infilò

la testa sotto, Elena lo strinse a sé soffocandolo, ma quello rideva, divincolandosi dalla sua morsa.

– Stai calma! – le disse con la faccia improvvisamente seria che la faceva sentire una scema. – Cosa credi che me ne importi se tu sei fatta cosí. A essere cosí ci guadagni. Sono un po' come i tatuaggi, guarda me.

E si scoprí la pancia. Lí una donna, che a un certo punto delle braccia diventava una pianta, camminava sulla sua ex ciccia smagliata.

Elena era immobile, le pizzicavano le mani. Odiava quando gliela imbastivano. Le ustioni non erano come i tatuaggi. Non li aveva scelti lei i disegni della piovra. I suoi occhi non avevano mai guardato nessun ragazzo in quel modo, erano sgonfi come un sacco vuoto.

Saverio a quel punto le chiese di salirgli sopra. Glielo chiese muto, solo con le mani. Ora quelle mani cicciotte e arrossate sulle nocche sapevano tutto di lei, ma erano rimaste identiche a prima. Elena gli disse di infilarsi il preservativo. Saverio però non ce li aveva, quelli antiallergia costavano troppo per averceli sempre. Elena gli saltò sopra e se lo infilò dentro.

– Vai, non preoccuparti, prendo la pillola.

Non era vero. Ma tanto se le sue ustioni erano come i tatuaggi, tutto era possibile. Anche che lei prendesse la pillola senza accorgersene.

– Allora posso venirti dentro?

– Fai come ti pare.

Saverio la sollevò. Stringendo le mani sulla vita sottile di Elena, venne. A metà tra fuori e dentro. Si voltò e sorrise al poggiatesta del sedile.

– Che palle, mi sono sporcato, – le disse, notando il lembo bagnato della sua maglietta.

– Hai fatto tu come ti pare, – rispose lei con tono duro.

– Quanto sei diventata stronza, piccolina. Vieni qui, ora dammi un bacio, bello.

– Piccolina dillo a tua sorella.

– Appunto, tu sei sorella di Marco, Marco è mio
fratello…

– Allora fattelo dare da lui il bacio bello.

Se le mestruazioni non le tornavano era colpa di
una macchina stretta, di un gobbo con la bilancia
e di una donna, fatta a pianta.

Non erano belle cose da ripensare quelle, però ci
aveva camminato sopra parecchio. Tornando indietro verso il motorino, Elena passò davanti a
Piazza di Siena. Un paio di figure facevano footing,
lontane. Giravano intorno all'ovale lente, anche se
da vicino i loro passi erano di certo frettolosi e piccoli. Non importa che correre fa bene. A vederla
da vicino è orrenda la gente affannata. La bellezza
viene prima del bene. Forse l'aveva detto Scauri e
aveva ragione.

Otto.

– Ma tu ci sei.

Anna aveva acceso la luce della stanza dall'interruttore fuori della porta. Impalata sulla soglia fissava Elena, che non si decideva a venir fuori dalle coperte. Se le era portate fin sopra la nuca, lamentandosi per l'intrusione.

– Che ore sono?

– Le sei. Perché dormi a quest'ora?

– Già le sei?

– E un quarto. Perché dormi a quest'ora?

Elena si era tirata su, a sedere sul letto. Non le andava niente, non sentiva alcun bisogno. Cercava di trovare da qualche parte una forza che la spingesse a rispondere ai comandi. Decine di riviste erano sparse sulla scrivania. Altre, impilate, si arrampicavano sulla parete in fondo. «Glamour», «Vogue», «Elle», «Vanity Fair». E poi anche numeri di «Freestlyer», «Skateboarding», «Orange Valley». Sembrava ci vivessero due persone lí dentro, due tipe molto diverse. Oppure una sola, schizzata, come la vedeva Luca. Da fuori la cosa poteva sembrare cosí. Da dentro, era tutto normale. Il lavoro era sempre il lavoro, con i ferri, come con la tavola. Era guardare, informarsi, prendere ispirazioni per cose da rifare.

– Allora? Rispondimi, – la incalzò Anna.

– Dormivo. Sono stanca. Oggi non sono nemmeno andata a scuola.

– Ma come? Sei uscita… siamo uscite insieme. E tu andavi a scuola.

– Mamma, non è che uno esce telecomandato, inchiodato a un rail. Può anche cambiare idea.

– Che è un rain?

– Un rail, una rotaia.

– Che ti è successo allora?

Non le importava in realtà di sapere cosa fosse accaduto a Elena. L'attenzione di Anna si era incollata altrove. Sulla sedia stava appesa una delle nuove sciarpe, una variante con fettucce di velluto colorato intrecciate ai bordi. Doveva perfezionarla, prima di mostrarla a Silvia.

– E quella? Quando l'hai fatta? – chiese ancora Anna.

– L'ho finita oggi, perché non sono andata a scuola, – rimarcò Elena, senza perdere di vista una notizia importante, se era piaciuta a Anna quella sciarpa sarebbe piaciuta a tutte le altre donne.

– A quanto la metti?

La sua stanza si era trasformata nel mercato. E sua madre in una cliente.

– Cinquanta, sessanta euro, dipende. La vuoi?

– Ora non ho i soldi, – le disse, poi afferrò la sciarpa e se la trascinò dietro. Una coda variopinta partiva dal suo bel sedere, alto.

– Mamma, da dietro tu sei un uomo! – disse Elena, inseguendola con lo sguardo.

Ma Anna svoltò il corridoio con passo implacabile. Ipnotizzata, come in certi film horror che si vedevano a notte fonda Marco e Saverio.

I filari di perline attaccarono a tintinnare. Pendevano giú dal piccolo arco che divideva la cucina dal resto della casa. Emettevano un solo suono, composto. A Elena sembrò per un attimo che il letto la riacciuffasse, trascinandola in qualche stupido sogno.

– È sporco per terra, – gridò, districandosi dall'agguato delle coperte. – Attenta, non la macchiare!

Nessuna risposta, solo il tintinnio delle perline che moriva piano piano.

Si precipitò in cucina. Anna digitava un sms, con la sciarpa in grembo e le gambe a cavallo di una sedia rivoltata. La luce azzurra del cellulare le brillava sulla faccia che era già allegra di suo.

– Ridammela, cosí si sciupa.

– Ma come parli? Sembri una vecchia sarta, – le disse Anna, premendo soddisfatta il tasto invio del Nokia.

– E tu sei una cretina. Anche se presto sarai nonna.

– Nonna?

– Sí, perché? C'è qualcosa di strano? Io ho l'età per fare un figlio, tu sei una vecchia che si fa i test di gravidanza.

– Non fare la scema Elena, passami il giornale, devo vedere una cosa.

– La pagina dei cinema? Ce l'ho io di là.

– Sí, portamela.

Elena si avventurò di nuovo nella stanza. Da quel letto marrone fatto di sabbie mobili tirò fuori un pezzo di «Repubblica».

Anna armeggiava ancora col cellulare, sempre a cavallo della sedia nera. Sospirò, mollandolo sul tavolo. Poi lo guardò, con tenerezza.

– Nonna, scusa se ti interrompo, ecco i cinema. E poi non lo vedi che sono mezza spogliata?

– Mica avrai freddo? – le chiese Anna, legger-
mente allarmata. Ogni volta che c'era il freddo di
mezzo lo era. Come se nella vita bastasse stare al
caldo per stare a posto.

– No, sbrigati. È che c'è il tuo fidanzato lí e non
vorrei si scandalizzasse, – rispose Elena, sollevando ironica il cellulare.

– Stronza, – le disse Anna.

– Le nonne non si esprimono mica cosí.

– Ma che è 'sta storia della nonna? Sei impaz-
zita? – chiese Anna, cercando di sfilare il fidanzato dalle mani della figlia.

– Te l'ho detto prima, – cantilenò grattandosi il
ginocchio nudo, scorticato e livido.

– Cosa hai detto prima?

– Che, con l'età che hai, potresti diventare nonna.

– Ah, potrei. Guarda che cosa ti combini addosso! Non ti devi grattare.

– Certo, con il corpo perfetto che ho è un vero
peccato. Mamma, pensi che mi rimarrà la cicatri-
ce?

– Mi rifiuto di risponderti quando fai cosí, – disse Anna con tono solenne.

– Dovresti vederla la tua faccia adesso, dovresti proprio vederla veramente.

Un rumore familiare che veniva dal bagno le al-
lertò. Fu una liberazione, per entrambe. Elena cor-
se lungo il corridoio, voleva essere lei la prima a
vedere.

– È tornata? – disse Anna.

– E tu hai lasciato il rubinetto aperto? Idiota,
– rispose Elena.

Dal rubinetto aperto veniva giú un singhiozzo
torbido, man mano il flusso divenne deciso e or-

dinato. Acqua corrente, se si chiamava cosí c'era
un motivo. Elena si intrufolò nella doccia, sollevò
con il polso la leva del mixer e una cascata di rug-
gine sbottò sopra le pentole piene e le bottiglie ac-
catastate.
    – Mamma apri tutto, pure di là. Svuota i tubi.
Elena rovesciò la riserva d'acqua nella vasca.
Tanto valeva togliersela subito di torno. I suoi piedi nudi lasciavano impronte sul marmo, ma lo sporco ora si poteva lavare via perché c'era l'acqua nuova. Dalla cucina arrivavano gli stessi rumori, cosí
dal bagno grosso.
    – È vero, l'acqua torna sempre verso sera, ri-
cordi?
    – No.
Elena stroncò l'osservazione di sua madre perché secondo lei non era capace di stare zitta quando doveva. Di fronte a una cosa che torna solo i
cretini commentano subito, non lasciando ai ri-
torni manco il tempo di fare il loro mestiere, la loro porca figura. Si rinchiuse in bagno. Spinse forte ma non le uscí niente, nemmeno una macchia.
Le mestruazioni non le erano tornate con l'acqua.

Mangiando mais tostato, confrontò gli orosco-
pi. Il suo e quello di Marco, il suo e quello di Oscar
e Antonio, il suo e quello di Saverio, il suo e quello di sua madre. E non combaciavano, si incrocia-
vano fra loro, questo sí. Ma a lei non la sfiorava-
no. Ai pesci toccava vedersela coi capricorni, Elena non ne conosceva nemmeno uno. E poi c'era in
agguato Marte che avrebbe fatto transiti, veloci.
Lanciò il giornale in aria e sussurrò: Marte, oddio
Marte no!
Secondo Scauri, Marte era cieco. Quando ave-

va fame si infilava nel corpo dei feriti. Percorrendo strade buie, ingoiava il loro respiro. Poi risal-
tava fuori dalle loro bocche, sazio. Qualche volta
col singhiozzo. E solo allora quelli, a terra come
gusci vuoti, potevano considerarsi davvero crepa-
ti. Questo servizio però Marte lo faceva solo ai soldati particolarmente coraggiosi.

– Che c'è? Mi hai chiamata? – le gridò Anna che
stava nella sua stanza. Doveva uscire con Rita. Per
parlare solo d'amore, e un po' di lavoro. Elena non
le rispose. Era irritante come Anna l'avvertisse certe volte, anche se lei parlava sottovoce. Era un vam-
piro quella donna, con gli ultrasensi.

La sua mano unta aveva lasciato un alone sul
bracciolo. Un alone sopra il grigio di un divano nato crema. La casa negli anni si era consumata ma
non era cambiata di molto. Tutto messo su in una
botta sola. Una botta sola non l'aveva data nessuno nemmeno a lei, forse un tipo in campeggio
l'estate prima, ma in quel caso non c'era tempo per
il bis e non valeva. Sua madre cambiava le persone con cui stava, ma era pigra quando si trattava
di cambiare le cose, anche di poco. Il lume del co-
modino era di carta leggera ed Elena prima o poi
parlando al telefono avrebbe ceduto alla tentazio-
ne di bucarlo con la punta magra di una matita.
Appese alla parete c'erano stoffe marocchine. E
qualche quadro erto. Il colore ripassato parecchie
volte, con un pennello grande. Lavori di gente che
non sa cosa dipingere e carica. Lo aveva detto un
tipo che era stato tre mesi con Anna. Un arido, per
questo sua madre lo aveva lasciato. In corridoio,
su una mensola di compensato chiaro, c'era Baba,
che ti aspettava al varco. Guai a passargli davanti
quando avevi i nervi perché qualcosa non andava.

Se Baba se ne accorgeva ti metteva tutto in conto. Perché bisogna staccarsi dalla vita che ti si ap-
piccica addosso e non ti molla, nemmeno da morto. Quasi tutti quelli che Elena conosceva avevano case dove c'erano piú cose, pure piú gente
dentro. Ma lei era senza cose, padre e fratelli. Con
un negro nato in India che ti dice: – Fregatene, e
stai felice.

– Ma ancora non sei scesa a buttare la spazzatura? – chiese Anna, passandosi un pezzo d'ovatta sul viso, trascinando giú e su le palpebre. Prima
si struccava, poi si spalmava la crema idratante.
Aspettava dieci minuti esatti per poi ritruccarsi
per bene. Una buona base nel trucco secondo lei
era fondamentale.

– Ora vado, un attimo.

Elena, in piedi, cercava il berretto in giro per la
stanza, quello con i cornetti di panno rosa.

– Cerchi questo? – le disse Anna sventolando-
selo addosso. Poi lo mise in testa a Elena. Lo sistemò con foga, a tratti violenta. La stessa di quando al mare, tanti anni prima, le metteva su la maglietta e le schiaffeggiava i piedi sporchi di sabbia
prima di infilarle gli zoccoli.

Elena annodò il sacco della spazzatura, le chiese se c'era altro da buttare e sua madre le mise in
mano l'ovatta umida.

– Non fare tardi.

– Mi faccio un giro con Marco alla Sma, poi torno.

Anna la accompagnò alla porta tutta contenta,
canticchiava canzoni insensate. Le aveva scritto
piú volte Ivan, il tipo di cui era innamorata da un
mese. Poteva fare il punto con Rita, aveva novità

fresche. Non solo, anche Marco la metteva di quell'umore, le piaceva: «ragazzo pulito», cosí la pensava. Era tanto convinta e attaccata a quell'espressione che Elena si rimangiava tutte le volte i commenti che le ballavano dentro.

Mamma, la sua testa puzza, è uno che mi viene in faccia.

Nove.

– Pensavo che non arrivavi piú.

Marco stava buttato a gambe larghe sul bordo del marciapiede. Alzò lo sguardo spavaldo, come se non gliene importasse niente di Elena che era apparsa sollevandolo dalla fatica di dover pensare ad altro.

– Scusa. Mia madre certe sere, quando deve uscire, diventa pazza. Si eccita, mi blocca e chiacchiera.

Marco continuava a fare finta di nulla. Ma quando lei piazzò lo skate a terra, incrociò le braccia dietro la nuca e qualcosa che sembrava un piccolo seno spuntò da sotto il maglione, per lui non ci fu scelta.

– Ci facciamo i carrelli? – chiese Elena.

– Io me li faccio, tu non sei ancora pronta.

– Marta?

– Sta a casa, credo.

– Non vi siete sentiti?

– Elena, fatti i cazzi tuoi.

– Me li faccio sempre.

– Sto stranito oggi, non ti ci mettere pure te, ti prego.

– Perché che ti è successo?

– Niente.

– Eddai dimmelo, lo vedo che sei triste. C'entra Saverio?

– No, non c'entra Saverio. Mi dispiace per te, ma non c'entra il tuo amore.

– Sei fissato.

– E allora spiegami perché ogni volta ne parli? Tanto si vede che ti piace.

– Io non ne parlo, sei tu che lo tiri fuori. E smettila di fa' 'sta voce.

– Che voce?

– Ecco, ora non è piú quella voce.

Elena tirò fuori dalla tasca un accendino. Lo azionò piú volte, emettendo a intermittenza una fiamma alta.

– Stasera comunque si è incazzato con me perché ho messo i pachino nella pasta. Se li mangia, poi sta male. Io non posso ricordarmi tutto, – continuò a dire Marco. Depresso. Non si capiva se per il servaggio cui lo sottoponeva suo fratello, o perché non riusciva ad accontentarlo del tutto.

– Ma ora è uscito?

– No, sta su in camera.

– Che fa?

– Senti ma perché non lo chiami? Perché non sali direttamente?

– Lo sai.

– Che?

– Lo sai: io lo odio. Dico sul serio, lo sai o no?

– No. Cioè sí, ma non sono sicuro.

Marco si era avvicinato ad Elena che si carezzava il collo.

– Tu anche stai stranita in questi giorni. Si vede.

– Ti ho chiesto una cosa.

– Non lo so se è vero che lo odi. E basta.

Marco era all'erta perché Elena aveva allungato la mano lí.

– È inutile che domandi tanto se poi mi distrai, scusa.

Elena si ricompose. Marco si accese una siga-retta, approfittò al volo della fiamma che Elena continuava a emettere a intervalli sempre piú rav-vicinati.

– Lo odi perché dice che Marta c'ha una bella pelle, bianca.

– Non è vero che lo dice.

– Certo che lo dice. Giuro.

– Magari una volta lo ha detto, ma tu non sai leggere fra le righe.

– Questa te l'ha detta lui?

– Che?

– Le righe.

Elena sbuffò, però le veniva da ridere, anche se non voleva dargli soddisfazione. Lo afferrò per i gomiti e lo trascinò nel cortiletto d'ingresso della Sma. All'angolo era spuntato uno Sten, uno di quei volti blu o neri, fatti con lo stampo. Era lí che fissava, enigmatico. Erano tanti e diversi, uomini e donne. Alcuni facce famose, altri no. Però gli Sten si somigliavano tutti. Avevano occhi profon-di, e svanivano ai bordi.

– Guarda che bello! Questo è nuovo nuovo, – disse Elena.

– Non mi piacciono, – rispose Marco, appog-giandosi al muro.

– Non capisci niente, sono molto meglio di quei tag inutili, – disse Elena, indicando sprezzante una sparata di segni, ripassati e corretti sopra le ser-rande del supermercato chiuso.

– Sul serio ti piacciono? Qualche volta si capi-sce che sei una ragazza.

– Grazie tante.

– Saverio dice che Sten è un artista solo, non collettivo. E che ora sta spuntando gente che lo imita.

– Scauri dice che gli Sten sono come le madonne agli angoli delle vie. Dolci divinità che ci proteggono. Cioè dice che sono le nuove madonne… ma tu c'eri in classe quando ha spiegato Sten?

– Non lo so, non lo ascolto mai, mi annoia. Ma dove stanno poi 'ste madonne? Agli angoli di quali vie?

– Non lo so dove stanno, chiediglielo. Caro Apollo.

– Finiscila, non mi ricordare quella stronzata di appello, per favore. A San Lorenzo. Ecco, forse lí ce n'è una.

Elena lo strattonò ancora, ridendo.

– Macchetteridi? Scema.

– Niente, rido cosí, caro Apollo.

– Dài, dimmi perché ridi, scema.

– Perché tu mi ami, – disse lei, tornando seria. Marco non le rispose, la sigaretta si scappellò e un paio di lapilli caddero tra le sue gambe.

– Ci manca che ti dài pure fuoco, – disse Elena.

– E te? Perché, mi ami te?

– Non stiamo mica a gioca' a specchio! – rispose lei.

– Io comunque non ti amo.

– Sí invece.

– E allora perché starei con Marta?

– Perché io ci sto da sempre.

– Tu sei fulminata.

– L'effetto è quello.

– Scusa, non ci ho proprio pensato. Per dire quanto conta poco per me.

Elena scrollò le spalle, calciò lo skate fino alla

fila dei carrelli. Di notte li riunivano tutti nella corsia di destra, lasciando l'altra libera.

– Non conta per me, capito? – ribadí Marco, poi la superò. E saltò sul tubo d'acciaio della corsia vuota. Ricadde giú subito, però ce l'aveva quasi fatta.

– Ho capito. Conta per me, idiota.

Per una mezz'ora buona calò tra di loro il silenzio. Quello sacro, in cui si lavora. A turno assaltavano il tubo. Una serata tranquilla, tra pari. Senza il dovere di dimostrare. Senza maestri e tutti fra i coglioni. Si stancarono, nello stesso momento. E uscirono dal cortile della Sma senza nemmeno bisogno di dirselo, muti con le tavole sotto braccio.

– Bella luna, – disse Marco.

– Dove la vedi?

– Giú, tra quei rami secchi.

– Bella luna? Ammazza, originale come cosa.

– Come cosa... come cosa...

– Non mi fare l'eco. Sembri Fulvio.

– A proposito, so che hai incontrato Saverio da Fiore l'altro giorno.

– Non me lo ricordo. E poi capirai che incontro.

– Le hai viste le basette? Belle ve'?

– Non fartele crescere pure te, ti prego.

– Magari, io sono glabro.

Le serrande elettriche di un appartamento poco lontano calavano lente. Abbracciati alle tavole, sotto la bella luna, Elena e Marco si divisero proprio al centro della piazza. Davanti alla Casina, un ritrovo di tavoli e sedie di plastica nera.

– Ci vediamo un po' domani? – le disse Marco, ancorandosi alla sua schiena.

– Mi pesi addosso, smettila. Domani passa Antonio, dobbiamo fare una cosa. Magari quando ho finito ti chiamo.

Marco le diede una spinta cosí forte che la fece tossire.

– Stai morendo? Sono contento.

Guardarono di nuovo verso l'alto.

– È gigante, piú che altro.

– È piena?

– Quasi, manca un pezzo piccolo.

– È finta.

– Ma quanto ne dobbiamo parla' ancora de 'sta luna?

Dieci.

Se lo trovò seduto sul pianerottolo. Ginocchia al petto, come al solito composto. Antonio sembrava un pugno destinato a colpire qualcuno.

– Me lo sento dentro. Mi sta tagliuzzando tutto.

– Saresti già esploso a quest'ora. Ti sei ingoiato il vetro una settimana fa.

– Tu non te ne intendi di materiali. Il vetro è come il veleno, lavora piano.

– Piano.

– Toccami il lobo sinistro.

– Già te l'ho toccato ieri.

– Era il destro.

Elena si allungò e gli pizzicò l'orecchio dove Antonio aveva richiesto.

– Brava, cosí. Porta il triplo della fortuna essere toccati a sinistra, ieri mi sono confuso.

– La fortuna non ti serve, ormai sei un morto vivente.

Erano le tre del pomeriggio, l'ora in cui si vedevano di solito. Antonio non cambiava abitudini, per non attirarsi appunto la sfiga. O le cambiava di botto per ingannarla quando era già arrivata. Rischiava tutto il giorno l'osso del collo, era il piú spericolato fra loro sullo skate. Secondo Oscar, rischiarsela brutta come faceva Antonio non era una questione di coraggio, ma un vizio.

I capelli li portava lunghissimi, due dita oltre le spalle quadrate. Scendevano giú pesanti e compatti, una tenda appena aperta sul naso. In testa, oltre alla tenda, teneva spesso un casco, piccolo. Allacciate sulle anche, almeno tre cinture a cartuccera. Zeppe di cacciaviti, temperini. E di tutte le cose che possono servire. Compreso un tubetto di colla. Non era pratico da toccare Antonio. Anche sfiorargli il lobo era stata una mezza impresa. Il Fabbro, era il suo nome in appello.

– Entriamo, dài.

Elena infilò le chiavi e si accorse che Anna non aveva chiuso a due mandate la porta. La distrazione di sua madre le sembrò ancora piú grave di fronte alla previdenza rischiosa di Antonio.

– Allora, che mi dài da fare? – le chiese appena dentro.

Elena aprí le finestre perché la puzza di fumo la prendeva alla gola. Anna e Rita si erano fatte una bottiglia di Mirto del Contadino nella notte. E avevano anche fumato parecchio. Elena, percorrendo intontita il corridoio, aveva sentito Rita ridere e gridare: – Dove vai con quel cappello in testa! – In bagno Elena si era svegliata un po', seguendo le vene delle mattonelle rosa. Poi le aveva raggiunte. Si era accoccolata sulle gambe toste di Rita, senza dire niente, ricrollando quasi subito nel sonno. Asfissiata dai cerchi di fumo. Anna continuava a parlare forte, mentre Rita le rispondeva piano. Cose del genere accadevano spesso in vacanza. Quando sua madre era di cattivo umore perché fino all'ultimo aveva sperato di andarsene altrove. E loro due, invece, erano felicissime di stare insieme.

– Aspettami in salotto, – disse ad Antonio. Quello fissava un tappeto, lo scansò liberando un pezzo di pavimento. Si raccolse i capelli e li infilò nel casco. Appoggiò il palmo della mano a terra. Sollevò il resto del corpo ad angolo retto, come una bandiera.

– Ti fa ancora male il polso? – gli chiese Elena.

– Un po'. Beata te che hai il pavimento liscio. Io a casa c'ho quel cazzo di cocco. E non posso fare niente, capisci, sono completamente bloccato sul ruvido, – le rispose, tornando dritto.

– La tua casa però è bellissima, me lo ha detto Silvia, – disse Elena, allontanandosi.

– Il cocco serve solo a grattarti i piedi, quando te li pizzicano le zanzare.

Elena tornò dopo poco, e lo trovò che rotolava come una trottola su se stesso, risalendo in verticale ogni tanto. Quando ballava e si esercitava Antonio non aveva bisogno di musica sotto. Pieno di attrezzi addosso faceva il rumore della caldaia in accensione. Che a sua volta somigliava molto al rumore di un cane che corre col guinzaglio appresso.

– Capisco, ora aiutami, che poi arriva mia madre e non possiamo fare bene.

Gli consegnò lo skate, indicando la «o» di «Love» che stava svanendo.

– Vuoi che lo sporco?

– Sí.

– Non posso. Dovevi dirmelo, non ho i materiali giusti dietro, niente.

– Non ci ho pensato, ora che facciamo?

– Vediamo un po', visto che sto qui... – le disse, rigirando il cavallo, come chiamava lui lo skate.

– Stanno messi male i gommini.

– Lo so.

– Ti avevo detto di prendere quelli piú duri. Alla lunga non gira bene con questi, alla lunga.

– Non è facile. Lascia stare. Non ci mettere le mani, stasera mi serve.

– Ti fidi di me?

– No.

– Allora che facciamo?

Elena tirò fuori una matassa di lana rossa dal cesto vicino al divano, accanto c'era una busta piena di gomitoli colorati. E pregò Antonio di mettere le mani a paletta. Lui obbedí e in pochi istanti si ritrovò tutto bendato d'angora.

– Quanto dura? – le chiese, grattandosi un gomito sul bordo del casco.

– Manca poco. Stai fermo.

Una volta smatassato il gomitolo, Elena lo ripose nella busta.

– Fatto? E ora che facciamo? – le chiese.

– Non lo so.

– Non ti viene nessun'altra idea?

– No.

Antonio si sfilò il maglione. Calò a terra e riprese a girare su se stesso, sempre piú veloce. Prima di ripartire in vortice respirava profondo e in ginocchio. Il rumore della porta d'ingresso che si apriva lo interruppe. Era Elena, che gentilmente lo invitava a uscire.

– Già, – le disse lui con la faccia accaldata mentre lei lo spingeva fuori a forza. – Non potevi nemmeno spompinarmi al buio facendo finta di essere per strada.

– Esci!

– Lo abbiamo fatto tre giorni fa. E ne devono passare cinque di giorni in mezzo. È cosí la regola, sennò porta sfiga, giusto?

– Giusto.

Elena si richiuse finalmente alle spalle la porta.

– Ci vediamo stasera? – chiese Antonio da fuori, Elena lo osservava dallo spioncino.

– Non è detto, – rispose, incuriosita nel vederselo tutto sformato dalla lente, il casco sembrava un siluro.

– Comunque noi ci muoviamo alle undici da casa di Oscar, se vuoi andiamo avanti e ti aspettiamo al parcheggio. Capito?

– Viene tua sorella?

– Non lo so, Marta non mi parla.

Non erano gemelli, lui e Marta. Frequentavano la stessa classe perché Antonio era stato bocciato. Comunque si somigliavano parecchio, lui e Marta. Cosí tanto che Elena ogni tanto, guardando lei, si sentiva in imbarazzo.

Undici.

Oscar teneva i gomiti sulle ginocchia, con la mano sinistra afferrava il polso destro, a testa alta. E la bocca stretta in una minaccia, poco convinta. Luca si reggeva il mento con la sinistra. Con la destra rimestava nel vuoto che aveva in mezzo alle gambe. Antonio stava messo come Oscar, solo con la testa reclinata verso il basso. E di che umore fosse non si capiva. Marco teneva entrambi i palmi rivoltati verso l'alto, adagiati sulle gambe incrociate, come Buddha. Era l'unico seduto sull'asfalto e non sulla sua tavola.

A vederli cosí pareva fosse arrivata a turbarli una gran brutta notizia. Ma non c'era mica bisogno di catastrofi. Bastava un semplice ritardo per ridurli in quello stato.

– Siamo pronti da un'ora! – gridò Luca a Elena che si era avvicinata spavalda. Quando si è in torto, tocca essere stronzi fino in fondo per cavarsela in fretta.

– Guardala, lei ride, non gliene frega niente! – continuava Luca, afferrando per il collare Boxo che era apparso anche lui nel gruppo.

– Avanti, non perdiamo altro tempo, – sentenziò Oscar. E si alzò per primo, rompendo la catena. A uno a uno si misero in moto.

Elena si avvicinò a Oscar. Gli sussurrò qualco-

sa all'orecchio. Lui le fece una carezza su una guancia, poi un'altra. La terza fu uno schiaffo, forte.

Elena balzò indietro. Il calore che sentiva in faccia rischiò di farle uscire fuori il pianto, ma si trattenne.

– Piangi, – le disse Oscar.

– Piangi, ti fa bene, – aggiunse Antonio.

– Ne vuoi un altro? – concluse Luca.

Marco si era avvicinato a lei. Scuoteva la testa
passivo.

Cosí si avviarono verso «il serraglio». Oscar incedeva avanti, insieme ad Antonio. Elena e Marco dietro. Luca faceva la spola tra le due coppie,
affiancato da Boxo.

Il cielo gli si richiudeva sopra tronfio come un
tendone da circo. Non era una bella notte quella.
Qualche macchina illuminava a tratti i loro passi
nel pezzo di buio tra un lampione e l'altro.

Svoltato l'angolo, Elena mollò la tavola in braccio a Marco che già teneva la sua. Si lamentò, in-
cassandola sotto l'ascella libera.

– E tienimela un attimo, ho detto!

Elena prese la rincorsa e diede a Oscar un calcio. Lui fu piú rapido, le afferrò la caviglia al volo,
bloccandola. Antonio la sosteneva da dietro. Nessuno voleva che si facesse male per davvero. Forse
solo Luca, a cui bastava un rumore di vetri rotti
sotto le scarpe per continuare a macinare insulti.

– Finiscila, – le ripeteva Marco correndole dietro goffo.

Ma lei continuava.

– Yaa ta!

Elena accompagnava i colpi con improbabili la-
trati da kung-fu.

Non si era arresa. Ripartiva all'attacco, attenta

a non farsi riacciuffare, aggirava l'avversario come poteva minacciandolo da tutte le parti. Oscar ritenne opportuno passare all'azione sul serio, il nemico lo meritava, Elena era agile. Mollò la sua tavola ad Antonio. Intorno ai duellanti si aprí un cerchio: Antonio, tavola, Luca, tavola, Marco, tavola, infine altre due tavole buttate per terra e Boxo in mezzo.

Tra di loro, Elena e Oscar mantenevano una distanza strategica di mezzo metro, poi uno dei due sferrava il colpo e l'altro rideva scappando o magari avvicinandosi troppo. Fronte contro fronte, inciampando sulle loro stesse gambe. Elena però aveva guadagnato terreno e Oscar per evitare il suo assedio scavalcò il cerchio travolgendo Antonio. Si aggrappò a un palo lí a fianco, girandoci due volte intorno. Ripiombato a terra, Elena lo lasciò riprendere fiato e poi aggiunse indicando un altro palo: – Evvai… attaccati a quell'altra pianta! – Oscar eseguí gli ordini, ma non gli venne bene come prima. Il palo stavolta era un malmesso cartello stradale. Luca bofonchiò che dovevano andarsi a riprendere gli skate. Elena gli abbaiò contro, imitando l'adorato Boxo.

– Non rompere il cazzo, – commentò Luca. Quella sera con loro proprio non ce la voleva. Però era molto difficile lasciare a casa una che, senza distinzione, faceva un pompino a uno, poi a un altro se quello lo desiderava.

Oscar sollevò Elena e se la caricò in braccio.

– Noi andiamo a recuperare i nostri cavalli, – disse agli altri. Elena, a testa in giú, commentò con una vocetta tenera: – Per fortuna qui c'è anche gente che mi vuole bene.

Si bloccarono davanti a una scala. Come se sotto non ci fossero gradini, ma la fine del mondo da camminare. Elena scese di corsa passando come era sua abitudine la mano sul rail d'acciaio. Poi risalí, affrontando i gradini a due a due. Tornata in cima, dichiarò ai compagni: – Mi pare apposto, anche lo scivolo è discreto.

Oscar si mise in posizione. Ma fu l'ultimo a partire.

Luca zompò sul rail, non riuscí a scivolare di traverso, si aggrappò al corrimano e concluse la discesa a lato. Tentò un salto per rimediare, ma aveva fatto pena. Stavano a fare i fuochi d'artificio: si mandano avanti gli eleganti, i peggiori, e solo alla fine arrivano i botti veri. Marco scese i gradini, valutando ogni volta che riatterrava lo schiocco e la rigidità della tavola. Fece una cosa utile. E assennata. Antonio invece diede di matto, si levò in volo mangiandosi un paio di gradini sotto. Elena lo affiancò sul rail, spalle alla pendenza. Durò pochissimo in equilibrio. Oscar invece scivolò come l'olio. Era il maestro.

Nonostante lo show, sul piazzale dell'ingresso quelli in fila non li calcolarono piú di tanto. Bevevano birra e avanzavano piano. Elena e Antonio si tennero le mani sui rispettivi gomiti fino a trovare una giusta distanza. Poi salirono in verticale sulle tavole, toccandosi i piedi a formare un arco. Il body di microfibra di Elena, la sua seconda pelle per agire tranquilla, spuntò fuori in quel momento. Cosí lo sterno di Antonio, nudo e sporgente come la carcassa di un pollo.

Oscar scivolò sotto l'arco di gambe e tavole. Saltò su una transenna libera rimanendo per un secondo in bilico perfetto. Fu una gran bella cosa da vedere. E infatti la gente in fila ora li guardava, rallentando le operazioni di ingresso ai due butta-fuori. Uno uscí dal mucchio e gli gridò contro:

– Mettetevi in fila o sparite!

In parecchi protestarono e gli fischiarono appresso. Tanto che il tipo, imbarazzato, indietreggiò timido e li fece entrare alla svelta. Essere bravi era un modo degno di saltare una fila.

Superato l'ingresso, Elena strattonò Oscar.

– Ora però basta co' 'ste tavole appresso, – gli disse piano. Non le andava di disturbare sempre i DJ pretendendo che le tenessero al sicuro, dietro la console. C'era il guardaroba, e pazienza se costava, ogni tanto vale la pena pagare per non chiedere favori. Tirò fuori un pezzo da dieci e lo consegnò a Oscar, che se lo guardò e disse: – Elena è ricca, ci paga la custodia.

Luca sbuffò e legò Boxo a una colonnina poco oltre l'ingresso, assicurando al cassiere che si faceva solo un giro dentro. E poi se ne andava, subito.

Elena chiese l'ora a una che passava. – Le undici e mezza, – le rispose. Voleva arrivare lí molto piú tardi, molto dopo mezzanotte. Quando Cina Dj aveva già aperto le porte e si entrava direttamente in sala grande, a ballare.

Fare anticamera tra le canne. Il fumo ingoiato da tutti insieme alle parole di tutti, la opprimeva. Le piaceva fumare all'aria aperta, in pochi e scelti momenti. Ma Oscar doveva chiarire questioni con un paio di persone quella sera. E non c'era stato verso di ritardare l'entrata. A lui faceva comodo fare anticamera.

– Non mi abbandonare subito, ti prego, – Elena supplicò Oscar, già convinta che lui avrebbe

fatto il contrario. Poi diede una pacca ad Antonio
che le indicò una biondina con la schiena scoperta, seduta sulle scale a testa china. La biondina tra
loro aveva scelto Luca. Era chiaro, faceva finta di
interessarsi alla sorte di Boxo.

Elena evitò di farlo notare a Antonio. Anche
perché quando gli diceva la verità sui pensieri delle donne, secondo lui lei gliela tirava.

Ma Elena non ebbe piú modo di far notare niente a nessuno. I suoi compagni erano scomparsi,
schizzati via. Come se, in un punto a lei scono-
sciuto del serraglio, ci fosse una grossa calamita
che li chiamava. Non valeva la pena cercarli.

Elena decise di aspettare che si facesse ora, davanti alla saletta delle informazioni preventive. Un
rettangolo di legno chiaro dove c'era una luce forte e, appesi, volantini contro tutte le droghe del
mondo.

Un volontario dell'associazione le piaceva, già dal
mercoledí prima. Buttò un'occhiata dentro, ma
quello carino, che manco si ricordava come era fatto a parte il fatto che era carino, non c'era. Al suo
posto due tizie si davano un gran da fare a mettere
in fila sul tavolo centrale cartoline già in ordine.
C'era la fila dell'eroina, della cocaina, della keta-
mina e dello speed. Ed erano cartoline talmente belle che quelle cose ti veniva voglia di provarle.

Un mezzo frocio in canottiera con la scritta «ele-
ven is twelve» la urtò passando.

– E stai attento! – gli disse.

La guardò sorpreso, come se Elena fosse in torto marcio a stare dove stava. Possibile che avesse ragione, ma la calamita occulta a lei non la tirava. Anche volendo, non sapeva proprio dove
sparire.

Al centro del serraglio, in mezzo a un mucchio
di gambe, aveva riconosciuto Muso di mulo. Seduto per terra, solo, batteva il palmo della mano
sui polpacci, alternava i colpi seguendo un ritmo
tutto suo. Elena si avvicinò, gli piantò un ginocchio tra le scapole e quello scattò sull'attenti.

– Che vuoi? Che c'è?

– Calma, che ti batti?

– Niente, me difendo da 'sta merda.

A Muso di mulo non piaceva la musica dell'anticamera. Era un aspirante batterista, i peggiori
hanno solo colpi in testa.

– Fammi posto.

– No.

Elena non gli diede retta e si accovacciò davanti a lui che non la guardava in faccia e si rollava erba. Passandogliela disse: – Tira dal pugno, mi rac-
comando –. Muso aveva l'erba buona, però la saliva non la condivideva con nessuno.

– Non mi va, grazie.

– Peggio per te, gli altri dove stanno?

– Stanno in giro. E le altre?

– Pure, io sono venuto con Silvia.

Elena era terrorizzata all'idea che Marta o Silvia, il peggio in coppia, potessero raggiungerla
mentre stava seduta e ferma, beccarla senza ragazzi, sola con Muso che non faceva testo.

Saltellò verso la sala grande decisa a corrompe-
re uno del servizio come sapeva fare lei. Quello
però le aprí un varco senza fare storie.

– Svelta, entra, – le disse. Elena gli arrivava al
torace, era grosso, con la testa piccola. Gli animali
con la testa piccola spesso hanno delle emorragie,
impazziscono di dolore. Se sono gatti si lanciano
dalla finestra, si suicidano. Perché un gatto non sba-

glia mai un salto. Se sono cani, uccidono la gente a morsi. Gli uomini con la testa piccola sono clementi quando meno te lo aspetti. Questo lo era stato con lei. Il suo piccolo cranio aveva capito tutto quella sera. Di sicuro aveva un'emorragia in corso.

Scostando con gusto le fasce appese di plastica dura che servivano da porta d'ingresso, Elena entrò finalmente. Lo scuro blu che le piaceva dominava lo spazio tondo, curvo. Il suo sollievo aumentò notando che c'era un po' di vita lí dentro, vita che non aveva bisogno di fumo e storie da chiarire. Solo aria, senza commenti.

Le ragazze del bar stavano impilando i bicchieri sulle mensole dietro il bancone a forma di esse. Qualcuno si muoveva a bordo pista confondendosi con le pareti grasse, scivolose e nere. Improvvisi fasci di luce si rivoltavano su quelle forme, senza rivelarle del tutto, lasciandole stare dopo averle per un momento minacciate. Notò che i due DJ non c'erano ancora. O forse sí, uno dei due c'era, acquattato sotto la console a smucinare. Riemerse lanciando in sala un'occhiata indifferente, portava una camicia rossa. Elena quello in particolare lo ammirava. Lo ammirava stando sempre all'erta, perché da ogni sua mossa c'era parecchio da imparare. I maestri di cerimonia. Bella definizione, anche se l'aveva letta sua madre sul giornale e nessuno di loro chiamava i DJ cosí.

Intenta a farsi il risvolto ai pantaloni troppo lunghi per ballare bene, perché si stavano preparando tutti a qualcosa e anche lei doveva dare l'idea di una che si prepara, Elena riconobbe un gesto familiare davanti a sé, la mano di Saverio che si grattava la punta del naso.

– Ti ho vista entrare.

– Stai già dentro pure te?

– Ho appena finito l'intervista al vj per «Rifra».

«Rifra» era una rivista su cui scriveva Saverio, ogni tanto. Una cosa veramente seria.

«Carneficina di materia visuale». Cosí c'era scritto sempre sulla copertina. «Rifra» era una bibbia di cui Elena, pur sforzandosi, non capiva nulla.

– Bella cosa è venuta fuori, nuova.

Saverio le parlava convinto, Elena stava zitta sperando che non le chiedesse un parere. Ma Saverio dava immediatamente corpo a ogni suo timore e infatti le chiese:

– A te il video sporcato di tutto non ti piace?

– Sí, cioè io... gli schermi qui intendi? Io non li guardo tanto. Sono belli, alcuni pezzi...

Saverio non era stato a sentire la risposta, controllava i suoi appunti su un blocchetto. Poi riattaccò piú convinto di prima.

– Non si può campare di rendita solo sul big beat festaiolo alla Propellerheads, sulla house tipo Guy Man dei Daft Punk, guarda pure il drum'n'bass di Goldie al limite. E infatti si sono rinnovati, è un monumento Cina Dj.

– Un monumento, – rispose Elena.

– Insomma hanno fatto un bel lavoro in tanti anni, ma il corredo visuale ora è tutto. A me è quello che fondamentalmente mi interessa. Te che ne pensi?

Saverio era serio e stavolta aspettava proprio la sua risposta, almeno cosí appariva.

– Non lo so. Io il visuale non lo guardo molto, forse perché ballo e non ci faccio caso, – disse Elena felice d'aver trovato una scusa che le pareva valida, per il momento.

– Ma su che balli? A che rispondi?

– Alla musica.

Saverio non si scompose, Elena pensò che aveva dato la prima risposta che le era venuta in mente, senza pensare. Invece ci doveva pensare prima
di rispondere a Saverio. E infatti lui attaccò a dire che lei non capiva niente però non era colpa sua,
che i DJ non sono semplici musicisti come aveva
spiegato milioni di volte anche a Marco. Che a lui
i rave veri, quelli in campagna, glieli avevano rac-
contati per filo e per segno degli amici suoi grandi e perciò era come se ci fosse stato. E che Cina
Dj era una cosa che esisteva fin dai tempi antichi
di Radio Città Futura. Elena non sapeva bene come interrompere quella tirata però voleva difen-
dersi da quel fiume di nozioni che la mettevano in
imbarazzo. E soprattutto non capiva cosa l'avesse
provocato tanto. E allora disse:

– Senti Saverio, io ti devo dire una cosa molto
importante che riguarda il mio futuro e il tuo.

Tutto intorno a loro era arrivato il serraglio,
aperte le porte prima del tempo. Testa a spillo era
morto d'emorragia, sicuro. La musica era partita
con grazia, gentile. Come sempre e senza enfasi.
Qualcuno corteggiava la pista a piccoli passi, ab-
bozzi timidi di danza. Sui grossi schermi laterali
una tipa, tutta dipinta di verde in faccia, mangiava uno yogurt e poi guardava la vaschetta. Ma arrivava un robot rotto a disturbarla e lei gridava
con la bocca larga e basta. Poi arrivava sempre un
cammello che vibrava il muso sbavando.

– Ora non posso sentire 'sta cosa, sono stanco,
vado a casa, – le disse, dandole un bacio frettoloso sul collo.

Poi aggiunse ripensandoci, quasi perplesso: –

Marco è impicciato? Ha fatto qualche cazzata con Oscar?

Lei rispose di no, di lasciare stare, che lo aveva detto tanto per dire, che scherzava. Finse di trascinarlo a ballare, per dispetto. Saverio non ballava mai perché non sapeva ballare.

– Sicura? – aggiunse e la lasciò andare alla deriva. Elena perse la mano di Saverio nella ressa. Non si sentiva sola, ma sbriciolata in milioni di granelli attaccati al corpo degli altri. Una cosa piccola e morbida l'abbracciò da dietro, facendola ridiventare intera.

– Guarda là che capolavoro, – le disse Silvia indicando Marta e Marina. Ballavano legate, all'altezza della vita, dalla sua sciarpa d'angora dorata.

– Bene, Silvia. Ne faccio altre, mi serviranno parecchi soldi ora.

– Avvicinati, non ti sento.

– Ho detto che devo diventare ricca, perché sono incinta.

Silvia la tirò a sé.

– Giura che è una cosa vera!

Dodici.

Due, tre passi avanti. Poi una sosta forzata sul posto e ripartiva. Cosí camminava Scauri. Magro, non tutto magro. Quando portava le mani alla vita, sollevando la giacca ai lati, le sue anche uscivano allo scoperto tonde, un piccolo fiasco. Le spalle le aveva scese, il collo e la cravatta sottili. Non era bello, ma ci si sentiva bello. Anche se di fatto non piaceva a nessuna delle insegnanti, delle madri e delle allieve. Ora aveva raggiunto l'ingresso dell'aula e la piantonava.

– Professore... – disse Elena, per niente stupita da quel comportamento. Scauri diceva che la scuola era un mondo triste. Normale che avesse bisogno di qualcuno che lo spingesse a calci in aula, ogni tanto.

– Tu vorresti entrare? – le chiese, calmo.

– Devo entrare.

– Devi entrare, – rispose, strofinandosi gli occhi. Gli occhi di Scauri erano chiari e opachi.

Elena si appiattí contro lo stipite, superandolo. Scauri le afferrò il laccio portachiavi che teneva al collo. E si lasciò trascinare dentro. I banchi erano quasi tutti vuoti. Solo Muso di mulo e Antonio formavano una coppia perfetta, seduti ai loro posti nella fila di centro. Troppo cresciuti per stare messi in quel modo, composto. Affacciato alla fi-

nestra, Oscar controllava i motorini parcheggiati
sotto, lo faceva spesso. Non appena la vide dentro
le si avvicinò, con le mani in tasca. Le tasche bas-
se dei pantaloni gli imponevano di guardare sempre la terra che pestava. Brutto vizio.

– Gli altri se ne sono andati? – chiese Elena ad
Antonio che non rispose, ma le lanciò una strana
occhiata. Mentre Oscar la inseguiva tipo ombra,
chiedendole a raffica: – È vera la cazzata che racconta Silvia? È vera o no? – Elena, ignorandolo,
chiese ancora ad Antonio: – Gli altri se ne sono
andati?

Muso sbadigliando si allungò e abbracciò il banco. Ogni tanto sporgeva la testa da un lato e dall'altro, alla ricerca di una gomma caduta. Poi disse: –
Gli altri stanno all'Adriano, stanno tutti al progetto Cinescuola.

– Eccola… la gomma! – disse Elena, ma da vicino la gomma era invece un tappo di bottiglia, rosso. Lo sollevò, se lo lanciò alle spalle, ricadde. Forse su uno zaino, perché non fece rumore. E Muso
disse rassegnato: – C'abbiamo il pavimento ladro.

Scauri, rovistando dentro la borsa, tirò fuori un
paio di volumi pesanti e commentò: – Allora noi
ci siamo dentro –. Poi piú forte ribadí: – Dentro
il pavimento –. Oscar sussurrò a Elena: – Quando questo esce chiariamo la cosa, giusto? – e tornò
alla finestra, per richiuderla.

– Lasciala aperta, – disse Scauri. Oscar la accostò, tanto per trovare una via di mezzo. Lui non
prendeva ordini, da nessuno.

Antonio reclinò indietro la testa. Il suo collo
bianco e liscio era uno spettacolo, bello.

– Guarda che scivolo, mi è venuta voglia di far-
melo, ci voglio passare sopra, – commentò Oscar,

e si toccò il suo di collo: – Io ce l'ho ruvido e corto –. Anche Muso si allungò, stringendosi come a
strozzarsi. Rimasero per un istante rigidi, inges-
sati. Oscar per primo smise di sentirsi percorribi-
le e disse a Scauri: – Professore, io esco. Elena anche, esce con me.

– Tu non vai da nessuna parte, – gli rispose, sorridendo a Elena che abbassò lo sguardo. Una notte se lo era sognato Scauri. Un incubo di quelli che
credi di essere sveglio e invece dormi ancora. Lui
rideva di lei che non riusciva a svegliarsi davvero,
di piú non ricordava. Furono almeno cinque i fin-
ti risvegli.

Scauri iniziò l'appello, ripeté un paio di volte i
nomi degli assenti.

Finita la trafila chiese perché non fossero andati anche loro al nobilissimo progetto Cinescuola.
La risposta fu un quasi coro: – La Bompadre ha
detto che noi non ce lo meritiamo.

– Ti dispiace? – chiese Scauri a Elena che un
po' timida rispose: – Magari io lo volevo vedere
l'Adriano di mattina. No, comunque no. Preferisco stare qui.

– E perché? – chiese Muso, distratto.

– Perché ha ragione, – rispose Scauri per lei, tornando in cattedra. Tirò fuori una pila stilo dalla
tasca. La osservò incredulo. Ci ripensò e uscí dal-
l'aula.

– È pazzo scosso, questo, – disse Muso, facendo spallucce. Oscar invece balzò fuori dal banco,
si avvicinò alla cattedra, afferrò il cancellino per
lanciarlo forte contro la lavagna, gli piaceva fare
le orme tonde, gli stampi. Lanciava, ammirava,
raccoglieva il cancellino e ripartiva, sempre piú forte, in mezzo a fiacche folate di gesso. Si voltò, il

cancellino piroettò contro Elena che lo evitò per un pelo. Oscar ora aveva cambiato bersaglio.

– Allora, è vera la storia che racconta Silvia? – le gridò.

Elena indietreggiava con la sedia attaccata al sedere, strusciandola sul pavimento, smottò per intero la fila vuota.

Antonio per la prima volta fiatò: – Guardate che Scauri sta di nuovo dentro.

– Lucciola, – le disse Scauri, – vai a sederti al posto di caro Apollo.

Elena obbedí e conquistò il posto di Marco, due banchi avanti al suo.

– Stai bene ora? Meglio? – le chiese.

– Uguale.

– Che vuol dire uguale?

– Lo stesso.

– Lo stesso, perfetto, – disse Scauri.

– Sirena, – impose subito dopo a Oscar, – tu al posto di Lucciola.

Oscar scosse la testa rabbioso. A fare quelle cazzate scambiste non ci stava: – Non sono un pagliaccio, – aggiunse.

– E dài, – lo pregò Elena, – se ti metti al mio posto, dopo ti dico di Silvia.

Scauri aveva trovato la sua alleata e Oscar, suo malgrado, si rassegnò a fare il pagliaccio.

– Profeta, tu esci dalla classe. Poi rientra e dici cosa vedi.

– Come sarebbe cosa vedo? – rispose Muso.

– Vai, avanti, – disse Scauri invitandolo a uscire.

Muso si avviò un po' preoccupato, era una bella responsabilità finire un gioco. Agli altri era andata meglio, come al solito. Mentre Antonio, in piedi e pronto a eseguire ordini, ora si agitava perplesso perché a lui era stato richiesto di rimanere dove era.

Muso rientrò quasi subito. Sull'uscio, senza fare nemmeno un passo disse tutto in un botto: – Vedo noi seduti, diversi.

– Solo? – chiese Elena.

– Lascialo in pace, – commentò Oscar.

– Solo? – ripeté lei a voce sicura e alta.

– Vedo anche gli altri, tutti trasparenti. Contenta? – concluse Muso e filò al suo banco a testa bassa. Mentre Scauri, soddisfatto, rimproverò Oscar: – Sirena, tieni la schiena dritta –. Poi si avventurò a leggere uno di quei due tomi che aveva tirato fuori dalla borsa. E niente poteva distogliere Scauri dalla lettura, nemmeno una bomba.

Elena tornò al suo posto. Non era vero che stare al posto di Marco era lo stesso, il suo era meglio. Il suo era il suo. Perché non era giusto che tutto fosse uguale e irriconoscibile come un uovo da un altro uovo. Era una fissazione di Scauri, lo ripeteva sempre, come se a forza di ripeterlo potesse diventare vero. Elena passando diede a Oscar una carezza sulla schiena e disse: – Lo sai che Saverio ha il tuo ritratto sul braccio? Un gobbo che porta una bilancia –. Oscar le afferrò il polso, stritolandolo quasi: – Non mi frega niente di Saverio, è vera o no la storia di Silvia? – Elena trascinò il pugno di lui, con il suo polso stretto in mezzo, sull'addome. Oscar mollò la presa e ritirò via la mano in fretta.

Elena rispose spavalda: – È vera, sí, tutta vera. Scrivi a Gioia ora.

Tredici.

– Ele, ti viene già da vomitare?
– Non dire idiozie, e sbrigati.
Silvia contava i soldi, seduta a gambe incrociate sul letto. Era cosí piccola e leggera che la borsa di Elena faceva piú conca di lei lí sopra.
– Sono centocinquanta, per uno.
– Dovrebbero essere duecento, ne hai vendute sette o no?
– Quella di Marta è andata omaggio.
– Non esiste, ridammi i soldi.
– E tu dimmi, di chi è?
– Tietteli i soldi, io non cedo ai ricatti.
– Guarda che poi ti senti piú leggera.
Elena si allontanò, afferrò la mazzetta, un pezzo da cinquanta era lacero agli angoli. A una stella del cerchio era partita la punta. I soldi quasi stracci le mettevano l'ansia. In giro c'era sempre chi li incassava come a farti un favore. Addirittura c'era chi si rifiutava di prenderli. E tu eri in regola, senza colpa, con quella roba da smaltire. Meglio falsi, almeno c'era di che parlare, ricostruire come e dove eri stato inculato. Meglio i soldi falsi.
– Fammi vedere la tua parte, – chiese a Silvia, che fece di no con il ditino. Si era ricostruita le unghie della mano destra. In settimana avrebbe at-

taccato a ricostruire anche la sinistra. Non ci guadagnava ad avere quelle palette incollate alle dita, erano troppo quadrate e tutte identiche, anche se via via diventavano piú piccole. Ma da che aveva le unghie nuove, faceva una marea di cose con le mani che prima non si sarebbe mai sognata di fare. Indicava di continuo. Gesticolava, si grattava la testa rumorosamente, se le puliva, se le guardava, si faceva perfino fare il baciamano da Scauri. Insomma, il suo corpo aveva trovato un nuovo centro, finto.

– Faccio io allora, – disse Elena frugando nella scatola da scarpe dove Silvia teneva il malloppo, racchiuso a sua volta in un sacchetto di cotone. Silvia non fece in tempo a intervenire. Le unghie nuove la rallentavano nei movimenti che erano diversi, questo sí. Ma molto meno disinvolti di prima.

– Di chi erano 'ste Lotto? – chiese Elena.

– Non me lo ricordo, mie mai.

Silvia la osservava apprensiva, Elena aveva il sacchetto tra i denti e cercava di scioglierne il nodo. Era stretto.

– Infatti, non te le ho mai viste le Lotto a te. Un cazzo di nodo! Ma come lo hai fatto?

– Dammi qui.

Silvia armeggiò con i canini e le unghie vere intorno al cordoncino di passamaneria lilla. Lentamente sciolse il nodo e consegnò il sacchetto a Elena.

C'erano i centocinquanta euro, intatti, perfetti, praticamente usciti dalla banca. In fondo al sacco c'erano anche diverse lenticchie.

– Sorteggiamo, – le impose Elena, – e chi esce si piglia i cinquanta mangiati.

– Figurati, io nemmeno me ne ero accorta, pezzente. Dalli a me. Sai che mi importa, a me.

Silvia lanciò i cinquanta euro sani contro Elena, rimise tutto il resto nel sacco, poi in fondo alla scatola di Lotto, poi dentro un cassetto sotto la biancheria.

– Dimmelo, Elena. Tu devi confidarti con qualcuno, ti fa bene.

– Io vado.

– Elena dimmelo, ti prego.

– Prometto che se lo dirò, tu sarai la prima a sapere.

– Ma non è che non lo sai proprio di chi è?

– Non sono affari vostri.

– Sono affari nostri. Il padre potrebbe essere chiunque. E le nostre vite, tutto rovinato, per sempre.

– Smettila di recitare. A te non frega niente. Da quanto tempo non ti divertivi cosí? Confessa!

– È di Luca? Dimmi che non è di Luca.

– Non lo so. Può darsi.

– Avevi giurato che non lo avresti toccato!

– Lo avevo già toccato prima. Da quando ho fatto il giuramento non l'ho toccato piú.

– Oddio! È lui.

– Può darsi.

– Non mi fotti, non è lui. L'ho capito, – disse Silvia, alzando un angolo della bocca, faceva cosí quando si sentiva davvero di un'inarrivabile scaltrezza. La sua certezza però fu subito scalzata da un'altra urgenza.

– Senti, ma vuoi tenerlo a tutti i costi?

– Vedremo, non lo so.

– Stronza. Non puoi fare cosí. È uno di classe?

– Io vi ho detto che non parlo. Mi hai mandato

venti sms in due giorni. Ieri Oscar mi ha asfissia-
to in classe. Com'era il film?

– Quale film?

– Quello del Cinescuola.

– Non l'ho visto bene. Marta era disperata,
preoccupata, siamo state fuori a parlare di te e della cosa. È convinta che sia Marco il padre, ma lui
nega.

– Lui nega?

– Certo.

– Marta mi ha salutato guardandomi in faccia
stamattina. Per la prima volta nella vita.

– Poverina.

– Che pena.

Elena liberò il ginocchio dalla fascia elastica.

– Ti fa male?

– No, ma mi hanno detto di metterla sempre in
motorino.

– Lo sai... incinta non potrai piú andare sullo
skate.

– Chissenefrega.

– E nemmeno in motorino.

– Mi accompagnerai tu in giro, insieme in autobus, per la manina. In cambio al nono mese ti con-
fesso il padre, solo a te, solo per te. Anzi, ti faccio
madrina.

– Mi stai prendendo in giro? Per fortuna che ce
l'hai ancora il motorino, invece.

– Come sarebbe?

– Niente di preoccupante, solo una cosa di
Oscar.

– Dimmela!

– No.

– Dimmela, Silvia ho detto dimmela!

– Ti consiglio di tirare fuori un nome qualun-

que, anche il suo. Perché, vedi, Oscar ha detto che
prima ti brucia il motorino. Poi ti lascia a piedi e...
    – Tutto qui? Silvia, tu puoi inventarti di me-
glio.
    – Poi ti aspetta al portone e...
    – Che è 'sto rumore?
    – Niente, sarà mio padre, – disse Silvia, sbuf-
fando. E accese la radio, mise su a tutto volume.
Non le andava di assistere al tronfio rientro dello
sbirro. Suo padre aveva l'abitudine di dire sempre, per lo meno tre volte: – C'è qualcuno qui? –
Come se non fosse entrato in casa sua. Ma in una
spelonca, mai esplorata da anima viva.
    Elena uscí e il poliziotto le stava davanti.
    – Avete messo la musica perché non volete far-
li sapere i vostri segreti, è cosí? – disse a voce alta dando una carezza sulla testa di Silvia che era
uscita nel tentativo di fermare Elena.
    – No papà, non li vogliamo far sapere a nessu-
no i nostri segreti.
    – Brave.
    Si portò le mani alle tempie e premeva come se
chissà che parole pensate dovessero uscirne, poi
disse: – Misteriose che siete voi altre –. Entrò nella stanza e abbassò il volume.
    Silvia gridò a Elena che aveva raggiunto la por-
ta:
    – Vuoi farli impazzire? Li vuoi vedere ai tuoi
piedi? Facceli credere, tutti, uno per uno. Te li lavoro anche io, fidati.
    Elena tornò indietro, la faccia di Silvia si aprí
in una gioia sicura, forse l'aveva convinta. Ma Elena la superò senza una parola. Si affacciò alla porta della stanza dell'amica. Il poliziotto stava seduto sul letto con una sciarpa di Gilbert in mano.

Gli disse: – Perché non li lasciate in pace gli skater dentro La Sapienza? Almeno il sabato e la domenica, che male vi fanno?

E il poliziotto rispose: – Ma le fai davvero tu
queste? – Poi si alzò per guardarla meglio.

Quattordici.

«È possibile quella volta ke mi stavi accucciata tra le gambe? Ti ricordi?»

Non è facile da ricostruire il sesso già fatto. Quello ancora da fare, o da fare per finta, invece viene fuori nitido, mossa per mossa. Comunque, Elena rispose all'sms di Antonio che no, non era possibile quella volta con lei, accucciata tra le gambe. Non era proprio possibile in natura. Lo sperma non mette incinta la gente dalla gola. Ma Antonio le scrisse di nuovo: «non scherzare! allora sicura ke non sono io?» Il telefonino era gonfio, da esplodere. Memoria esaurita. All'angolo sinistro del display lampeggiava una bustina con un lucchetto. Elena non aveva intenzione di cancellare niente per ricevere ancora messaggi. Anzi spense tutto. In due giorni le erano saltati i tasti 1 e 4 tante erano state le richieste, un assedio inutile. Certo, il suo telefonino era già stato messo duramente alla prova dalla vicenda Gioia.

Lei e Oscar l'avevano chiamata cosí perché faceva rima con vecchia troia. Gioia però non era vecchia e aveva la faccia di Nina, piú o meno, soprattutto le sue labbra pneumatiche. Succhiava di tutto e non voleva fare altro, dalla mattina alla sera. Per il resto, Gioia aveva le tette tonde con le punte rosse, un po' umide nell'incavo. Il culo in-

vece ce lo aveva sempre secco come la carta assor-
bente. Toccava leccarselo a turno prima che Oscar
se lo sbattesse. Prima che Elena finisse in un angolo a ciucciare un paio di mutande. A Elena piaceva inventare ogni volta le mosse di Gioia. Era
una gara di bravura con Oscar, il sesso non c'entrava piú niente.

Ma ora basta, dovevano finirla. Che scoppiasse
la memoria, insieme alle loro teste.

Anna era quasi contenta quel pomeriggio e vedeva tutto di conseguenza. Allungata sul divano
leggeva un libro che la faceva sorridere ogni tanto. E a giudicare dalla copertina, una donna di
spalle che aspettava un passaggio, seduta su una
valigia rotta, non doveva fare tanto ridere in
realtà.

– Elena, te l'ho detto che venerdí prossimo parto?

– Sí.

– Torno domenica sera, capito? E lascia stare
quel telefonino, ascoltami.

– Senti chi parla. Sí parti, ho capito.

– Purtroppo non ti posso portare con me...
Anna si era alzata dal divano, addosso aveva la
vestaglia, origine di tiepide correnti quando camminava.

– Allora, non mi chiedi nemmeno dove vado?

– Dove vai?

– A San Casciano.

– È campagna?

– È in Val d'Orcia, meravigliosa.

– Non mi piace la campagna.

– Ti piacerebbe, se la vedessi.

– La immagino e non mi piace.

– Non mi chiedi con chi vado?

– Con chi vai?

– Se me lo devi chiedere cosí, non fa niente.

– Allora non fa niente.

– Guarda che le cose con Ivan si stanno sistemando, mi chiede anche di te, spesso. Anche lui ha figli, non è un egoista taccagno come gli ultimi.

– Pensa.

– Penso, penso.

– Perché sei tornata presto?

– Non mi è venuto l'esperimento.

– Non ti vengono mai.

– È colpa di Paola, non sa preparare i terreni. La ragazza nuova.

– È colpa di Ivan che è solo un telefonino, non è un uomo.

– Che dici?

– C'è un ripetitore in quella valle? Non vorrei che ti morisse tra le dita.

– Che cose brutte pensi. Devo cambiarti sezione.

– Che c'entra?

– C'entra, Scauri vi trasmette un pessimismo cosí profondo... Non è un uomo risolto.

E rise, guardando lo skate di Elena appoggiato al termosifone.

– Che cazzo ci fa il cavallo lí sopra?

Elena odiava quando sua madre faceva la simpatica usando i loro modi di dire. Odiava quando ballava sulle sue musiche, senza saperlo fare. E quando la assillava chiedendole se era innamorata di Marco o di qualcun altro.

– Oddio! Hai attaccato il riscaldamento? Gli fa male il caldo.

Anna rispose di no e si mise gli occhiali. Voleva

vedere la Tv ma non le andava di alzarsi. Ficcò la
mano nella fessura tra i cuscini e non ci trovò nessun telecomando.

– Torni domenica, a che ora? – le chiese Elena,
che aveva recuperato la tavola assicurandosi prima
che il termosifone fosse davvero freddo. Anna stava per chiederle il favore di accendere per lei la Tv
ma, davanti alla faccia minacciosa della figlia, ci ripensò. Si avvicinò e le disse: – Tu sei il mio tesoro
adorato, lo sai vero? – Le tolse il berretto, allineò
le sue ciocche biondicce sopra quelle della figlia: –
Sono uguali, guarda. Anche l'odore è uguale.

– Ho usato il tuo shampoo, – disse Elena, soddisfatta. Di scatto accese la Tv. Avviandosi verso
il corridoio che portava alla sua stanza, aggiunse:
– Non è mica detto che parti. Oggi è solo lunedí.
Ivan sono sicura che cambia idea. E Rita non ci
viene perché è stufa di fare la riserva. Con chi ci
vai a finire nella valle?

Anna le rispose: – Ci andiamo io e te, insieme.

– Io ho da fare.

In camera Elena tirò fuori dalla sacca da lavoro
uno scialle color panna, lavorato a nodi grossola-
ni. Raggiunse di nuovo Anna che era rimasta nella stessa posizione.

– Ti piace? Prendilo, te lo regalo. A te sta bene
il bianco.

Anna fece segno di no, categorica. Poi lanciò di
nascosto un'occhiata alla mercanzia. Elena la tirò
su a forza. E le accomodò alla meglio lo scialle in
vita. Anna non oppose resistenza. Elena era abituata a recuperare sua madre quando precipitava
all'improvviso in quel corpo di fantoccio arreso.

– Benissimo ti sta, guardati, – le disse, indicando i vetri opachi della finestra.

– No, cosí non vedo niente. Vado allo specchio di là, – disse Anna.

– Brava, vedrai che con questo addosso rimorchierai un sacco di cellulari, in campagna.

Anna si voltò, fece cadere lo scialle e la raggiunse camminandoci sopra. Le mollò uno schiaffo debole sulle anche e disse:

– Perché devi essere sempre cosí cattiva?

– Non sono cattiva.

– Ivan non è come Franco.

– È come Guido.

– Chi è Guido? Giorgio semmai.

– Giusto, è come Giorgio.

– Non era tanto male Giorgio. Lo ho lasciato io Giorgio.

– Appunto.

Squillò il telefono di casa. Anna si precipitò a rispondere e riattaccò subito.

– Chi era? – le chiese Elena.

– Un maniaco.

– Che?

– Ma non lo so, fesserie. Ha biascicato cose incomprensibili su una bambina incinta.

– Aveva la voce da donna?

– No, oddio, forse sí, era una voce camuffata. Lo fanno sempre, sono scherzi Elena, non ti hanno mai fatto paura gli scherzi a te.

– Infatti, era solo cosí per sapere.

Ma la situazione stava precipitando, Elena doveva riaccendere il suo telefono, sennò l'avrebbero tormentata a casa. Alla fine sua madre si sarebbe insospettita, soprattutto se Ivan le dava buca. Anna lasciata a casa a rimpiangere la valle e la campagna, si sarebbe concentrata su tutto ciò che non la interessava di solito. Eliminò un po' di mes-

saggi, i meno rilevanti. Non le piaceva mai farlo,
quelle erano le prove. Non potevano accusarla di
niente se lei teneva al sicuro le prove di quello che
le capitava in giro.

Una nuova busta assassina comparve all'oriz-
zonte. Era Silvia che le suggeriva: «Tutti ce li devi fare credere. Capito? E io ti aiuto, promesso».
Poi un'altra ancora, sempre di Silvia: «Anche una
regina ha bisogno di una vicina!» Questa era di sicuro una battuta del padre, una roba mezza tuni-
sina. Silvia aveva spifferato i loro misteri allo sbirro. Lo faceva sempre, lui era uno che teneva la bocca cucita. Ma prima di cucirsela dava ottimi
consigli. Preparò un sms per scherzo e poi lo inviò
per davvero a Oscar, Marco, Luca e Antonio. «È
tuo. Sono certa, se vuoi ti spiego. Elena T». Subito dopo ne inviò un altro, speciale per Oscar:
«Non potrai piú leccarmi il kulo ora papino.
Gioia».

Anna, vedendola armeggiare frenetica, le disse:
– Anche tu hai novità, vedo –. Con la faccia com-
plice la prendeva in giro. Come se loro due fossero una sola cosa, perfetta. E la loro vita uno spas-
so dove tutto va per il verso giusto se l'unica cosa
che ti capita è soffrire ogni tanto, per amore.

– Certo, come no. Parecchie novità, vedrai, – le
rispose.

– E Marco che ne dice? È geloso? Ci soffre?

– Dice che lui resta a guardare.

– Che cosa resta a guardare?

– Te che lasci Ivan. Mentre la moglie gli telefo-
na, in continuazione.

Quindici.

Non c'era un posto libero. Quelle ciccione di ucraine stavano a coccolarsi le cosce strippate nei jeans chiari appoggiandoci sopra le mani. E nessuna che si alzasse. Le borse le tenevano in grembo, in equilibrio tra tette e ginocchia come trofei. Ogni tanto qualcuna diceva qualcosa che faceva ridere le altre, a onda. Non ridevano mai tutte assieme. Tutte assieme, a parte occupare i posti a sedere, non facevano niente. Gente che ha l'abitudine e il gusto dei giardini. Secondo Anna, questo le spingeva a occupare tutte le panche dell'isola pedonale di piazza Bologna. Secondo Elena, no. Ma quale giardino, lí c'era poca erba, e non c'erano tanti alberi. C'era solo una fontana bassa che di rado spruzzava acqua. Le ucraine avevano invece il gusto dei piccioni, quegli schifosi sassi con le ali. Non facevano altro che concedere loro avanzi di cetrioli e molliche, guardandoli con affetto. Mentre le altre creature del mondo non attiravano mai la loro attenzione, per lo meno non a lungo. Forse solo i bambini nelle carrozzine ogni tanto, ma sempre perché erano circondati dai piccioni. Giovani e vecchie, erano spesso solo donne quelle sedute. Si comportavano piú o meno allo stesso modo dei maschi che però stavano in piedi, vicino a scheletri di platani, raggruppati in circoli stretti.

Fumavano tutti. E anche loro cedevano spesso al
fascino zozzo dei piccioni. Da che c'erano gli ucrai-
ni, lí non si poteva piú campare in pace.

– Ha da cambiare con due da cinque? – chiese
Elena a una tizia con la sfumatura alta. Sapendo
che quelle non ti cambiano mai niente. Ma lei aveva dieci euro, e il motorino era agli sgoccioli della
riserva. I distributori funzionavano a quell'ora solo a self service. E affidarsi agli scontrini è una fregatura. Ai benzinai rode vedere lo scontrino, parecchio. Quando lo tiri fuori sembra che proprio
soffrano.

– No, no, no, no, – le risposero le ucraine, anche le loro facce somigliavano a quelle dei piccioni in quel momento. Elena si mise a sedere, in terra. Proprio al loro fianco. Era in attesa di Marco,
avevano appuntamento. Attaccò a cantare *Seven
Nation Army*, stonando parecchio. Ma forse quel
pezzo era stonato in partenza. Le donne alzarono
di rimbalzo il tono di voce. E la sommersero. Elena da lí sotto non si scoraggiò e alzò ancora il volume, cantava piú forte e sempre peggio. Tanto
che una delle piú vecchie disse:

– Ragazza è ubriaca?

Lo disse due volte. La seconda risuonò come una
condanna.

La sua vicina iniziò a cantare anche lei, imitan-
dola. Le altre la seguirono a ruota. Oramai *Seven
Nation Army* era diventata una melodia assurda,
dove ognuno ci metteva del suo. La piú magra di
tutte, e anche la piú giovane si alzò dalla panca pi-
roettando. E, invitando le altre a fare lo stesso, si
aggiustò la codina di capelli esile e bassa. Risero,
perché ridevano facile, spesso di cose fisiche. Di
gente che fa le smorfie. Di uno che cade per terra

e fa finta di soffocare. Roba cosí le faceva impazzire.

Un uomo dei loro venne via dal circolo stretto e si avvicinò alla panca con fare sospettoso. Non capiva se gli convenisse scherzare anche lui o insultarle. Fece entrambe le cose, per non sbagliare. Ma le donne gli lanciarono contro un sacchetto pieno di bucce d'arancia. L'uomo tornò da dove era venuto, sconfitto. Un triangolo di piccioni ingordi lo inseguiva piano. La vecchia, quella che aveva parlato per prima, indicò l'uomo e il corteo implacabile alle amiche e diventò un po' triste. Il circolo dei maschi improvvisamente si sciolse in una frettolosa smania di saluti. Anche le donne abbandonarono dopo poco la postazione. Salutarono Elena pregandola di sedersi al loro posto. La magra e la vecchia allontanandosi valutarono lo stato di tenuta e l'altezza dei rispettivi tacchi, affiancando i talloni l'uno contro quello dell'altra. Elena pensò che avrebbero potuto camminarci ancora a lungo sopra quei tacchi duri. Perché erano di certo piú duri delle strade che pestavano. Poi si allungò beata sulla panca a prendersi tutto il calore della loro covata.

– Tu sei pericolosa! Che ti ha preso?
Marco gettò a terra con violenza lo zaino.
– Tranquillo.
Marco deglutí. Poi si chinò a riprendere fiato, era arrivato di corsa. Risollevandosi espirò rumorosamente un paio di volte. Riprese lo slancio per parlare e gli venne fuori un tono di voce piú calmo e deciso.
– Come ti è saltato in testa di mandare quel messaggio a tutti?

– Cosí. Almeno vi date pace.

– Ti rendi conto del casino che hai combinato a prenderli per il culo?

– Mi hanno davvero rotto il cazzo, tutti.

– Elena, io te lo dico: Oscar ti cerca. Con Antonio stanno pensando una cosa brutta.

– E tu ne sai qualcosa?

– Non molto, non si fidano di me in pieno.

– Fanno bene.

Marco avvicinò lo zaino alle caviglie di lei.

– Tanto la loro fiducia fa schifo.

– Il vero schifo.

– Elena, può darsi che tu lo conosci meglio di tutti noi Oscar...

– E allora?

– Ti consiglio di parlare chiaro, almeno con lui.

– No.

– Vuoi rischiartela definitivamente?

– Forse.

– Perché hai mandato quel messaggio firmato, assurdo? Lui ha avuto paura. E non gli piace strippare per niente.

– Chiedetelo a Silvia, lei sa tutto.

– Silvia dice che hai intenzione di torturarci, fino alla fine.

– Ha detto cosí? A chi?

– A Oscar.

– Bene.

– Bene? Elena, a me di sapere non me ne frega niente. Io e te lo abbiamo sempre fatto senza rischi. Ma loro dicono che non si sa mai. Che qualche volta tu ci hai fatti entrare dentro senza niente, all'inizio. E che insomma nella fretta... non lo so nemmeno io che dicono.

– Appunto.

– Stanno pazzi, il problema è che gli piace que-
sta storia. Capito qual è il problema vero?
– No. Io non lo so di chi è. Prendetevelo tutti,
se lo volete. Tanto io non vi chiedo niente.
– Non dipende solo da te.
– Sí invece. Io non vi chiedo niente.
Elena si alzò innervosita e Marco le afferrò la ma-
nica del maglione allungandola. La spalla bianca del-
la sua maglietta venne fuori dal buco del collo.
– Lasciami.
– Se continui cosí ti faranno male, molto seria-
mente.
– Tu mi stai facendo male, lasciami!
– Esci da questa storia.
– Marta a te ti ha mollato ho saputo.
– Non c'entra. Non è proprio finita tra noi, co-
munque.
– C'entra, cosí ti ho salvato la vita.
– Le frasi a effetto non ti serviranno quando ti
faranno a pezzi.
– Invece sí, a Oscar piacciono le mie frasi.
– Elena, non fare la cretina. Lui non ti è piú ami-
co, fidati.
– E tu?
– Io non sono come lui.
– E come chi sei?
– Ti ho detto non fare la finta cretina. Chiama-
lo ora, davanti a me.
– Ma tu sei scemo, anzi digli da parte mia: Ele-
na ha detto che le devi passare sopra, e lei forse si
ricorda, forse.
– Diglielo tu, io non ti faccio da paggetto. An-
zi, noi oggi non ci siamo visti.
– Come vuoi. Marco, io non lo so di chi è, chia-
ro?

– Giuralo.
– Lo giuro.
– Mi sa che mi sento male.
Elena, mettendogli la mano sulla fronte, disse:
– Non scotti, per niente.

Luca stava seduto sul motorino di Elena. E per il momento si limitava a fare a pezzi un volantino di Tecnocasa, lo aveva trovato arrotolato sul parabrezza.
– Bella idea quella del figlio di tutti.
– Scendi dal mio motorino.
– Come ti vengono 'ste belle idee? Forse quando ti fai la gente... magari tu pensi in quei momenti, però solo in quelli.
– Hai paura che ti consumi il cazzo di Oscar e anche quello di Antonio? Li vuoi tutti per te vero? O magari li vuoi dare al cane?
– Stavolta hai esagerato. Ti sei fregata da sola, stavolta. Io non ho bisogno di alzare un dito.
– Tu sei uno che non vale niente. E non è colpa di nessuno, rassegnati. Nemmeno tua.
Elena lo strattonò giú dalla sella, Luca non si oppose. Mentre lei si infilava il casco le disse:
– È meglio che te lo tieni sempre in testa, perché se capita che me lo fanno fare io ti sfascio.
– Non capita.
– Capita, te lo dico io.
– Luca la sai una cosa? Quando Oscar e Antonio se lo fanno masticare da te dicono che loro sono strafatti e che tu invece non lo sei.
– Io non ho mai masticato niente a nessuno.
Elena mise in moto. Arrivata allo stop di via Catania si accorse che sul cassettino sotto il manubrio c'era una gomma appiccicata di fresco.

Era enorme e rosa, i solchi dei denti si vedevano ancora.

Io non ho mai masticato niente a nessuno.

Erano piccoli e tanti i solchi. Perché cosí era fatta la cattiveria di Luca, rapida e ostinata. Castori-
no era il suo nome in appello. Elena non lo aveva
mai capito quel nomignolo. Ma ora come ora, gli
stava d'incanto.

Antonio sfrecciò velocissimo in corridoio, Elena era già pronta a schivare i suoi assalti. Ma lui
non fece niente di niente, nemmeno la salutò.

– Aspetta! – gli gridò lei dietro.

Antonio si voltò, s'indicò il torace come a dire:
«Dici a me?»

Elena attaccò a dirgli che Luca doveva darsi una
regolata e anche Oscar. Che lei non ne poteva piú.
E che lui invece era uno che pensava con la sua testa, e lo doveva dimostrare.

– Non so di cosa stai parlando, ma tu chi sei? –
rispose lui, con gli occhi stretti, interrogativi.

– Non fare il demente, Antonio. Tu dammi una
mano.

– È molto che stai in questa scuola? Perché io
non ti ho mai visto prima.

– Già, sono una ragazza nuova! – cantilenò Elena.

– Ah… Ecco perché non ti ho mai visto prima.

– Anto', smettila, dài.

Elena si era aggrappata a una delle sue cinte a
cartuccera e lo supplicava.

– Scusa, io ti aiuterei pure, ma non ti conosco.
Non so nemmeno che ti è successo. E non mi chiamo Antonio.

– Basta, vaffanculo.

– A te.

– Stronzo.

– A te.

– Servo.

– Serva te. Solo le troie ricattano la gente, quando sono incinte.

– Io non ho mai ricattato nessuno.

– Elena, evita…

– Allora lo sai chi sono. Ti sei ricordato, – disse lei distesa, il teatrino sembrava finito, per fortuna.

– Ricordato di che? Io non ho parlato, che dici?

– Antonio ti prego…

– Ti aiuto io.

– Davvero?

– Ripeti con me. Amaro.

– Ti prego, non dirlo.

– Vai avanti, la formula la conosci.

– Amaro chi è morto, – replicò Elena, con un filo di voce. Antonio era un asso nell'acchittare scene da incubo.

– Nel cuore… – continuò lui.

– Nel cuore, nel cuore di un altro, – concluse lei.

Era il motto per dire che avevi chiuso, che eri finito. Un cliente fisso di Fiore glielo aveva insegnato. Elena abbandonò la cartuccera di Antonio e crollò in ginocchio in mezzo al corridoio della scuola.

Sedici.

All'ingresso della pizzeria Poppy 2 Elena fece una telefonata. Per la prima volta da giorni chiamò di sua iniziativa.

– Sei a casa? Sono Elena. Ma sei a casa? Puoi scendere... davanti a Poppy. Dieci minuti, sí, mi va bene.

Dentro c'era una donna magra, vestita di pelle verde mela. Prendeva a calci la macchina sparalattine. La ragazza al banco le consigliava di calciare piú forte cosí che ne uscisse il gettone, o la lattina. Perché a calci qualcosa prima o poi doveva uscire da lí. Non che mettesse il buonumore quella scena. Ma, alla terza botta assestata maldestramente dalla donna, Elena emise uno squittio eccitato.

– Scusa, provaci tu se ti fa tanto ridere, – le disse la donna. La sua voce somigliava a quella di qualcuno che Elena non ricordava sul momento.

– Ciao, Elenina bella...

La ragazza al banco la salutò alzando la paletta con cui ritagliava in quadrati perfetti la pizza. Poi la ripassava sulla teglia a raccogliere per bene le briciole e i pezzi di mozzarella fredda.

– Io non sto mica ridendo, signora.

Ce ne voleva per chiamare signora quell'attrezzo. Ma Elena non lo riteneva un gran complimento. Lei signora ci chiamava tutte quelle sopra i trenta che incontrava. La donna invece sembrò lusingata e calciò con piú convinzione di prima. Ma niente. Esausta si fece fare un buono bevanda perché non le andava di aspettare oltre. E uscí. Elena calciò sicura, ma non venne fuori niente.

– La rompi cosí, smettila. Vuoi qualcosa? – le chiese la ragazza.

– No, aspetto Saverio, – disse Elena, soddisfatta. Tutti in quella via sapevano chi fosse Saverio. E anche chi fosse lei. E il fatto che si incontrassero non era una cosa all'ordine del giorno. Ma la ragazza non si scompose un granché, anzi. Si infilò dentro la stanza dei forni, e ne riuscí dopo poco, spiegava della macchina sparalattine ingolfata a uno che portava una teglia fumante. Il vetro del banco s'appannò. La ragazza guardò per un attimo avvilita la pizza appena arrivata. Patate, senza rosmarino. Subito prese a tracciare qualche quadrato e il suo sguardo ridiventò motivato e accanito. La pizza con le patate, senza rosmarino, era uno dei pochi motivi validi per cui in molti frequentavano la Poppy 2 e non altre pizzerie della zona. Per non ritrovarsi spilli fra i denti.

– Buongiorno a tutti.

Saverio aveva i capelli bagnati, si era fatto la doccia. La ragazza al banco vedendolo entrare gli sorrise affettuosa.

– Dammi un supplí, Sofi' – chiese lui.

– Escono tra un po', – mugugnò lei.

– Un po' quanto? – chiese invece Elena. Non voleva stare lí dentro.

– Quanto ci vuole per i supplí? – gridò la ragazza all'uomo nella stanza dei forni. Non le rispose, lei si affacciò e gridò di nuovo. Poi si voltò verso di loro e disse: – Il principale quando parlo io è sordo. Comunque, tra poco credo –. Appoggiato a uno sgabello, Saverio leggeva il menú attaccato al muro. Era lunghissimo e scritto a caratteri minuscoli.

– Sofi', qual è la *maremoto*?

– Quella alta. Con le alici e i capperi, – rispose la ragazza.

– Boh, mai vista, – commentò lui, scettico. Poi si voltò verso Elena e finalmente disse:

– Allora come va? Lo sai che Marco sta male.

– Sí, cioè no. Devo parlarti, ma non qui.

– Di che?

– Non qui. Non posso.

– Dammi un pezzo di rossa semplice, – impose Saverio alla ragazza, che immediatamente tagliò un quadrato. Lo dispose sul banco, sopra un pezzo di carta lucida. Poi si rese conto che non lo aveva pesato e bloccò Saverio.

– Aspetta, non lo so dove c'ho la testa, oggi.

Lo pesò. E aggiunse: – Un euro, tondo.

– Pago dopo.

Elena non aveva chiamato Saverio per farsi una pizza. Ma lui ora mangiava. E gridava cose di calcio col boccone in bocca all'uomo dentro la stanza dei forni. Si comportava come se lui e Elena si fossero incontrati lí per caso. E invece era lei che lo aveva convocato.

– Saverio, non ti va piú il supplí, vero? – gli chiese.

– Boh. Vediamo.

– È urgente, devo dirti una cosa urgente, da un sacco di giorni.

Due ragazze entrarono. Ma riuscirono quasi subito perché la pizza rossa con la mozzarella calda non c'era.

– Tra dieci minuti esce, insieme ai supplí, – gli disse dietro la ragazza al banco.

Saverio si pulí la bocca con un fazzolettino di carta, poi le mani con altri due.

– C'ho ancora fame, tu non mangi niente? – chiese a Elena.

– No. Saverio, paga e usciamo, ti prego.

– Che c'è? Elena, so già tutto.

– Cosa tutto? – Elena lo trascinò fuori di lí con la forza, spintonandolo oltre la soglia.

– Paghiamo, tranquilla, rientriamo subito, – assicurò lui alla ragazza. Poi aggiunse appena fuori:

– Elena, ma sei pazza?

– No, ora tu mi parli, mi dici quello che sai.

– Che ti devo dire? Non è colpa mia se fate cazzate con Oscar.

– Oscar?

– Marco sta inguaiato con lui. È chiaro. Non mi vuole dire ma io so tutto. È mio fratello, mica un coglione qualsiasi. Io lo conosco.

Elena si rese conto che Saverio non sapeva niente. Fece due passi indietro per trovare la distanza utile e necessaria alla verità. La verità ha bisogno d'aria intorno per percorrere intatta il suo viaggio verso il destinatario.

– Rientriamo, dài, che devo pagare.

– No, io devo dirti una cosa.

– Ancora? La so, ho detto, i dettagli non mi interessano.

– No, tu non la sai. Non la sa nessuno.

– Dimmela allora. Quanto sei ossessiva.

– Io non sono ossessiva, – rispose Elena, lentamente e triste.

– Avanti, che c'è?

– Ti ricordi quella volta che stavamo in macchina?

– Sí certo, – si precipitò a dire Saverio, ma Elena non era per niente convinta che se ne ricordasse per davvero.

– Ti ricordi che lo abbiamo fatto in macchina…

– Ah sí, certo sí, allora?

Elena non rispose.

– Allora? – replicò lui. – Veloce, su, non mi pare una grande notizia.

– Io ho fatto la scema, ero molto arrabbiata, – disse Elena in una fretta disperata, con la verità che le arrancava in gola, pronta a uscire.

– Non ti preoccupare, sei stata bravissima. Io non ti giudico, – le disse Saverio che si era avvicinato e la carezzava. Elena si prese la carezza cosí come era, chiuse gli occhi. La verità sparí, non c'era piú aria per il suo viaggio.

Saverio rientrò. E attaccò a parlare fitto fitto con l'uomo dei forni che era uscito allo scoperto. Mentre la ragazza al banco gli offriva un supplí con una mano, e con l'altra lo scontrino.

– Comunque, io Mari' mi chiamo. Non Sofi', – dichiarò a Saverio.

– Mari', Sofi' è piú bello. Chiudi la cassa, lavora, – disse l'uomo dei forni azzannando una striscia di bianca invecchiata sulla teglia.

Diciassette.

– Dove ha parcheggiato? – chiese Oscar ad Antonio, che arrancava al suo fianco su per via Lorenzo il Magnifico. Entrambi portavano il casco.

– Non lo so, sarà qui intorno.

– Ti avevo detto di seguirla.

– Non mi piace seguire.

– Era un ordine.

– Non conosci nessun altro a parte me che lo sa fare, questo lavoro.

– E allora?

– Gli ordini li dò io, casomai.

Oscar si avventò contro Antonio che lo respinse, aprendo lo sterno in un colpo compatto, come uno scudo.

– È inutile che ti agiti con me, Oscar. Perché poi dobbiamo farlo a quest'ora? Me lo spieghi?

– Perché la cosa va fatta alla luce del sole.

– Potevamo farlo all'alba allora?

– Alle sei di mattina è un rischio.

– Non c'è nessuno, invece.

– C'è poca gente in giro, ma è sveglia, e sospettosa. Cammina.

– Comunque è un'ora che non va, le due è un'ora che non mi piace in assoluto.

Svoltarono l'angolo e imboccarono via Re Tancredi. L'ideale era che il motorino di Elena fosse

lí, piazzato ai parcheggi laterali. Via Re Tancredi
era una strada, ma somigliava piú a un cortile. Era
corta, non particolarmente stretta. Quasi tutte le
entrate dei palazzi davano sulle vie adiacenti. Spigoli slanciati di muro le precipitavano addosso. Le
fiancate si ancoravano prepotenti a quel budello
d'asfalto.

– Eccolo là. È quello no?

– Sí che è quello.

Antonio fece un giro intorno al motorino. Un
giro esperto. Scosse due volte il manubrio libero
da bloccasterzo. Diede un calcetto d'intesa alla
marmitta e commentò: – Modificato potrebbe anche farmi comodo.

Oscar montò in sella e disse all'amico:

– Questo finisce nel mio garage, e basta. Non lo
stiamo fottendo a nessuno e non lo deve toccare
piú nessuno. Intesi?

– Nessuno, chiaro.

Antonio tirò fuori le forbici da una borsa che
portava Oscar. Liberò la fine della catena dal ri-
vestimento di plastica. Poi valutò tra due paia di
tronchesi che aveva nello zaino e scelse quelle con
il manico nero.

– Ora cominciamo a capire se sei un figlio di puttana, – disse Antonio all'anello piú vicino alla chiusura.

– Sbrigati, – lo incalzò Oscar mentre lo copriva
a gambe larghe, guardandosi intorno.

– Oddio è duro.

– Quanto?

– Calma.

– Sai gestire la cosa o no?

– Oscar, è duro. È uno scasso serio questo.
All'antica.

– Impegnati seriamente allora.

– Ecco, forse ci siamo.

– Viene?

– Sí, è un pezzo di burro, – disse Antonio, ridendo.

– E perché allora hai fatto tutta quella scena?

– Perché volevo vedere fino a che punto tu, maestro, di tecnica non capisci una minchia, – disse Antonio. Si rigirò la catena tra ascella e spalla, molte cose nelle sue mani diventavano elastiche, leggere.

– Passami il panno, sta nello zaino.

– Perché?

– Devo pulirmi le mani.

– 'Fanculo. Puliscitele dopo.

Il rumore di un elicottero li fece scattare.

– C'è qualcosa oggi? – chiese Oscar, guardando su. L'elicottero non si vedeva, Re Tancredi aveva sopra appena uno schizzo di cielo. Ma, dal rumore, era vicino.

– Stanno cercando noi, sicuro.

– Scherzaci. In generale, non ti mettono l'ansia a te quando girano e sorvegliano?

– Gli elicotteri?

– Gli elicotteri.

– No. Mi fanno venire sonno.

Antonio ripose gli arnesi. Sul lavoro era preciso e ordinato. Teneva la lingua stretta tra i denti quando era particolarmente concentrato. La punta della sua lingua era un po' piú scura del normale. Tutto Antonio era un po' scuro all'interno. Aveva la corona intorno alle unghie scura. E anche le gengive, quasi nere.

– Oscar, comincia a spingere, vattene. Io devo fare ancora una cosa.

– Che?
– Vattene ho detto. Vuoi farti beccare?
– Io non me ne vado.
– Testa di cazzo, tanto ci metto un attimo.
Antonio tirò fuori una bomboletta di colore e
aggiunse:
– Il pezzo va fatto.
– Sei pazzo? Anto' andiamo.
– Vai tu, io le firmo sempre le mie opere. Lei di-
ce che io devo dimostrare che penso colla mia testa.
– E dimostra, diamogli retta. Tanto tu da solo
pensi pure peggio di me.
Antonio passò la mano sulla superficie del box
vuoto e arrivò a sfiorare il muro, per indicare al-
l'amico i termini della questione. Nel posto mi-
gliore non si poteva fare, era già occupato da: «sangue, oro e tradizione».
– Oscar, ma quegli hobbit degli amici tuoi non
potrebbero farli piú stretti 'sti capolavori?
– Non sono amici miei. Mettiglielo sotto. E
muoviti! Non deve essere un pezzo bello.
– Prendo le misure, le misure servono. E sí che
deve essere bello. Anche se non bello vero perché
si deve leggere, bene.
Oscar tentò di sfilargli la bomboletta dalla mano destra. Ma Antonio gli spruzzò un po' di vernice sui calzoni per allontanarlo.
– Lo sapevo che non dovevo coinvolgere te in
questa cosa.
– Non avevi mica scelta. Stai calmo, vattene e
comincia a spingere, – disse Antonio e si sfilò il casco, lasciandolo appeso dietro la nuca, allacciato
sul collo. All'opera tutto il suo corpo era piú che
altro un polso, concentrato in una sequenza ferma
e compatta.

– Eccolo e vai… esce il fiato del drago, – disse, mentre una lunga macchia nera si profilava sul muro.

– Che dici? Va bene? – chiese all'amico.

Oscar ci pensò su. E poi disse di sí. Secondo lui bastava quello che vedeva.

– Fammi pensare, si può fare di meglio. Ci mettiamo 'na botta de fucsia? Tanto pe' distinguerlo da 'sta cazzata?

– Ma quale fucsia, deve essere tutta nera!

– Fidati, lo scontorno di fucsia, è pure il suo colore preferito.

Passò una macchina scalando la marcia in salita. I due si abbracciarono fingendo di essersi incontrati in quel momento, sonagliando tra bombolette, zaini, caschi e metalli vari. Poi la minaccia distratta passò oltre. E loro rimasero avvinghiati e rigidi.

– Puzzi, Oscar. Hai sudato di strizza.

– Andiamo.

Sul muro di via Re Tancredi c'era scritto in nero fresco e lucido «Elena di Troia». La superficie sbriciolata aveva trovato il suo destino. Non ancora. Antonio tirò fuori la bomboletta fucsia e, di nascosto da Oscar, prima di «oro» aggiunse una «b».

Oscar spingeva il motorino e Antonio lo seguiva. Non dovevano arrivare tanto lontano. Saldi nella certezza che nessuno ferma due che vanno avanti a spinta con il casco in testa. Nemmeno il posto di blocco piú malfidato dell'universo.

– Elena di Troia, sei stato grande, – commentò Oscar.

– Tu perché la odi tanto?

– Chi?

– Elena.

– Si tiene mio figlio in quella pancia, ti basta?

– Che ne sai che è tuo?

– Io lo so.

– Anche io penso che è mio, ogni tanto. Tutti pensano che è il loro, ma non è vero.

– È vero.

– Ci fa usare sempre il preservativo o no?

– Sí, ma non c'entra.

– C'entra. Il resto sono tutte paranoie che quella ci mette in testa. Chissà con chi lo ha fatto davvero. Questo tu te lo sei mai chiesto?

– Io non mi sbaglio, è mio. Se è come dici tu, allora si merita una punizione ancora piú grave.

– No, secondo me non si merita niente.

– Ti piace dipendere da lei? Ha distrutto l'equilibrio. Ha dato potere a gente come Silvia, Muso di mulo.

– Muso di mulo?

– Loro ci guadagnano da questa storia, sono tutti servi. E ora fanno i messaggeri. Ora Antonio dimmi che non la odi?

– Sí che la odio, ma dall'inizio.

– Che faceva di male all'inizio? Era perfetta, si dava da fare sempre, era bravina sulla tavola, aveva sempre i soldi suoi, autonoma.

Il benzinaio di via Livorno li vide passare. Si alzò dalla sedia di paglia per riceverli, ancorò la sua mano alla pompa. Ma loro proseguirono oltre.

– C'è rimasto di merda, gli sta bene, non ti fa mai il pieno vero quello, – disse Antonio.

– Perché la odi dall'inizio?

– Non c'è un motivo, chiaro. È coperta, questo sí. La odio perché mi ricatta. Io non ho coraggio di scoprirla, lei lo sa. Se si nasconde in quel modo il motivo deve essere bello grosso.

– Affari suoi.

– C'hai mai pensato a quanto è brutto scopare una che potrebbe farti paura all'improvviso?

– Mi sembri Marco, cosa ve ne sbatte di averci sotto una troia nuda si può sapere? Nuda è la donna. Non la troia, che è mezza vestita.

– Non è cosí.

– Allora perché lo fai? Perché ci stai?

– Quella capisce come sono fatto. La innaffio addosso quando dentro sono gonfio. Però è sempre lí, vestita.

– Il suo culo è nudo, o no?

Oscar era eccitato, si capiva dalla fretta distratta con cui domandava e pretendeva dettagli. E intruppò contro lo specchietto di una macchina parcheggiata.

– Certo, sí che è nudo. Ma senza una schiena nuda appresso un culo spalancato è niente. È come infilare un palo in una torta.

– Capisco, come se uno si lancia e non c'è la rampa.

– Piú o meno.

– Non l'avevo mai vista cosí la cosa.

– È sempre stata pericolosa.

– Siamo stati scemi noi, bastava farle capire che, fondamentalmente nella vita, una senza tette alla fine stufa.

Diciotto.

– Mamma, me l'hanno rubato.
– Facciamo la denuncia.
– Mamma non ho piú il motorino, ti rendi conto?
– Potevi legarlo meglio.
– Lo avrebbero rubato lo stesso.
Anna accavallò le gambe. E si accese una sigaretta. Poi disse con calma, scandendo bene le parole: – Io parto domani, devo partire. E del tuo motorino, scusami, ma non mi importa proprio niente.
– Questo è chiaro. Ma potresti pentirtene.
– Tu lo fai apposta.
– Io non ci posso stare senza, mamma davvero me lo hanno rubato, non c'è piú.
– Per ora non ci sono soldi per ricomprarlo. E poi forse lo ritrovano.
– Li trovo. Io li trovo. Li chiedo a Rita.
– Stai fresca, Rita ha appena acceso il mutuo della casa. Elena, vedrai che lo ritrovano, ora aiutami a fare la valigia.
– Io non sono la tua rumena.
Anna andò in camera sua. Elena la sentí tirare giú dalla cima dell'armadio il trolley. Entrò e sua madre ammirava serena il bagaglio aperto e vuoto, in mezzo a batuffoli di polvere.
– Mica parti per un mese. Che te la porti a fare questa grande?

– Mi serve. Dobbiamo portarci dietro asciuga-mani e lenzuola.

– Gran posto, di lusso. Che tristezza.

– Sono fatti cosí i posti da quelle parti, tutti.

– E perché non le porta Ivan?

– Preferisco portarle io. Dov'è il portacenere?

– Certo, uno non riporta a sua moglie lenzuola incatramate di sperma.

Anna si mise a sedere sul letto. Elena allungò le mani, Anna diede un colpetto alla sigaretta e le calò la cenere nella conca.

– Elena, la cosa che mi dispiace non è che tu di-ca queste fesserie.

– Sono cose vere.

– Saranno anche cose vere. Ma il modo in cui le dici è stupido.

– Beata te, la rigiri sempre come ti pare la sfiga che c'hai.

– Il tuo rapporto con il sesso è infantile, purita-no. Dobbiamo parlarne un po', quando torno.

– Quale rapporto col sesso?

– Elena, tu hai sedici anni.

– Quindici.

– Quasi sedici. Sei grande. Non hai mai nessuno. Odi tutti i ragazzi. Sarà stata anche colpa mia...

– Mamma, ti informo che a me non manca il ses-so, nella vita.

– Non dire scemenze, non devi avere paura di dirmi la verità.

– Mamma io scopo con chiunque.

– Elena, per favore basta.

– Vuoi sapere come diventa lo sperma quando si attacca alle lenzuola?

– Elena, non fare la ragazzina.

– Una crosta che si lava, facilissima.

Anna si mise a ridere. Non era un riso vero il suo. È che voleva essere a tutti i costi felice. Si sdraiò, piazzandosi un cuscino tra le gambe.

– Me la porto la mantella nera che mi hai fatto? Quella con i nastri d'oro? Che dici? È troppo elegante?

Elena tirò fuori una manica del cappotto dall'armadio e ci si soffiò il naso dentro.

– Ma sei stupida? Ora basta Elena. Finiscila.

– Tu lo sai come diventa un cazzo quando...

– Elena, sei ridicola, basta.

– Quando ti mette incinta?

– Elena non mi fare ridere perché non c'è niente da ridere.

– Diventa moscio, ti odia e ti vuole ammazzare.

– Ah ecco, bene.

– È vero.

– Vieni qui.

Elena si avvicinò a sua madre. Racchiusa nel torace ossuto di lei si mise a respirare forte.

– Non fare cosí, io torno presto. Va bene?

Elena la strinse fino a farle un po' male.

– Esci ora, ti hanno telefonato tutti i tuoi amici oggi pomeriggio, perché non esci con Marco?

– Non mi va oggi.

– Andate al cinema. Ci sono tanti film, perché non fate mai niente?

– Perché il cinema costa. E poi io non mi posso muovere senza motorino.

– Fatti accompagnare da lui.

– Non mi accompagna piú, lui. E poi sta male.

– Lo chiamiamo insieme, vedrai che ti viene a prendere.

– No, – gridò Elena, – tu stai ferma, poi parti e non chiami nessuno.

Elena prese con sé il cavallo. Anche se non poteva piú andare nei soliti posti a skettare, ne sentiva proprio il bisogno. Come mai prima le era capitato di sentirlo.

Chiese il permesso a un tizio del garage a ore sotto casa che non le rispose né sí né no. Ma quando lei iniziò a scivolare giú non fece nulla per impedirglielo. Solo una donna bassa, con una specie di grembiule di cartone addosso, uscí da un gabbiotto di vetro, pregandola di stare attenta a non farsi male.

– È roba facile per me, – rispose Elena. E la donna bassa rientrò dentro il gabbiotto, aprí una rivista davanti alla sua faccia. Mentre il tizio filò dentro il garage, lanciandosi alle spalle un mozzicone di sigaretta.

Elena non aveva pubblico, non aveva nemmeno uno spazio buono a disposizione. E ogni tanto fa anche bene. Su per poi di nuovo ricalare giú, la tavola da sotto ti risponde e ti asseconda. E poi di nuovo ripartire. Con la testa vuota. Fa paura quando è cosí vuota la testa perché tutto dentro risuona senza ostacoli. Il rumore della discesa è soddisfatto. Quello della salita ha una voce liscia. Il salto lí per lí è muto. Poi il botto arriva ed è un botto. E se lavori con la testa vuota il botto lo senti già nel salto, nasce nel suo finto silenzio. Tutte insieme le voci dello skate fanno un concerto. È la prima cosa che ti prende. Te lo sogni la notte, ti appanna le orecchie. E la tua voce lí in mezzo non conta piú tanto, è una cosa possibile insieme alle altre. È un po' come fare la vita dei pesci. Una vita che sembra muta ma non lo è, per niente.

Diciannove.

Elena scese a Barberini. Salí la scala mobile di corsa. Pestando i gradini d'argento, le venne in mente che Muso aveva l'allergia al metallo. Poverino, non poteva nemmeno bere da una lattina. Era da un bel po' che nessuno le faceva pena.
– Puzzi di autobus.
– Sono venuta in metro.
– Guardala sta entrando a scuola, Elena di Troia.
– Ti ho denunciato, Oscar. Ti conviene ridarmelo il motorino.
– Ma chi denunci te, chi ti crede a te…
– Lasciami entrare.
– Finiscila Elena di Troia.
Oscar le aveva appoggiato qualcosa dietro la schiena.
– Avanti parla. O parli, o davvero ti faccio male.
– Oscar falla finita, non scherzare.
– E chi scherza?
Passò Silvia, Elena fece finta di nulla perché non le andava di mettere in mezzo il mondo intero in quella storia. Silvia l'avrebbe fatta precipitare peggio.
– Lo sai che appena posso te lo infilo dentro. Lo senti il coltello?

– Sí, lo sento il tuo spazzolino da denti.

Silvia li superò tenendosi alla larga, aveva capito che era un brutto momento e questo le bastava, voleva entrare dentro e raccontarlo. Di salvare Elena le fregava molto meno.

– Ora entra. Ti aspetto all'uscita. Hai cinque ore per pensarci sopra.

Venti.

Cinque ore. Ma alla quarta lei aveva già deciso. E la sua convinzione montava su, mai avrebbe confessato.

Silvia disse qualcosa all'orecchio di Marta, che rigida mandò un bacio a Elena, schioccando le labbra all'aria. Marina, seduta sulle ginocchia di Antonio, sollevò il dito medio della mano contro Elena. Antonio lo abbassò, afferrò il polso dell'amica e lo agitò, in segno di saluto.

– Dite addio a Elena di Troia. Parte oggi, per un lungo viaggio, – cantilenò Luca da dietro. E Muso di mulo sollevò il mento. Con il suo sguardo miope e il naso arricciato disse: – Addio, Elena di Troia.

Si erano alleati. Compatti, maschi e femmine, servi e capi. E non avrebbero smesso di tormentarla, questo era certo.

La Bompadre ogni tanto allungava un braccio fuori dalla cattedra. Scuotendolo li pregava di stare in silenzio con la sua vociaccia elettrica. C'era il test in programma. E per un'ora tutti loro erano obbligati a tenere la testa china su un foglio. Ma dopo si usciva. E sarebbe stata la fine di Elena. Il piano era chiaro.

I soldati ti sfiancano, ti lavorano per cinque ore. E all'uscita, corri dal generale a sputare l'osso, arresa.

– Mi sento male, vado a casa prima, – disse Elena, consegnando il compito.

– Tiberi, passa dal preside. Poi ripassa che ti firmo il permesso, – le rispose la Bompadre. Oltre alle solite perle, aveva un ulteriore collare, rametti di corallo sbiadito.

Passa e ripassa. Pareva facile, a quella. I soldati dentro avrebbero avvertito Oscar fuori. Elena se lo sarebbe ritrovato di nuovo attaccato ai polpacci, piú incazzato di prima. Perché lei stava tentando di fregarlo, ancora. Doveva scappare. Uscire dalla scuola senza dare nell'occhio.

– No, vabbè, vado solo in bagno. Magari mi riprendo.

– Sí, meglio. Tiberi ma che ti senti?

– Niente, un po' di male alla testa.

Silvia consegnò anche lei alla svelta. E la seguí. Elena avvertiva i suoi passetti meccanici, i moon-boot che strusciavano uno contro l'altro, lanciati all'attacco contro di lei. Si bloccò di colpo. E Silvia quasi le precipitò addosso.

– Dove vai?

– Al bagno, vuoi inseguirmi nel bagno?

– Elena! – le disse Silvia afferrandole la spalla.

– Ma che vuoi? E non mi toccare con quegli artigli di plastica.

– Elena adesso tu mi devi ascoltare.

– No.

– Stai scappando, vero?

– No.

– Io lo so che stai scappando.

– Lasciami, ho detto.

– Tu non capisci, io voglio aiutarti.

– Nessuno te lo ha chiesto.

– Tu ti fai leccare dai cani... tu ti fai del male, da sola.

– Lo sapevo che ti mandava in delirio la leccata del cane, lo sapevo.

Silvia rise e anche a Elena venne da ridere.

– Assurda. Una scena grandiosa. Vieni qui, dài, torniamo dentro.

– Silvia, io ora me ne vado, – disse Elena, tornando seria.

– Ma non ti conviene.

– E tu, per una volta, lascia che succeda qualcosa senza che gli altri lo sappiano prima da te.

– E perché?

– Cosí, per fare le cose diverse. Se tu credi di essere il destino degli altri, ogni tanto non li avvertire.

– Complimenti. Ti dò cinque minuti di vantaggio per uscire, poi parlo. Se sei già lontana, Oscar non ti becca piú.

Le chiavi di casa e il portafoglio ce li aveva dietro, in tasca alla felpa. Lo zaino pieno di quaderni sventrati poteva restare dove stava, a scuola. Anche la sua sciarpa bucata meritava di farsi una nottata in classe.

Ora l'aspettava la spirale delle scale. Poi Angelo, il bidello. Poi la porta, poi la discesa, poi il cortile e via, di corsa. Cinque minuti di vantaggio, erano pure troppi.

– Dove corri? – le chiese un ragazzo. Elena lo guardò, era il baby di Oscar, ecco dove lo aveva visto, a scuola.

– Non lo so, ma se mi dài un bacio ti uccido, – rispose. E il ragazzo, appoggiatosi al muro per evitarla, prese a staccarne l'intonaco con imprevista soddisfazione.

Arrivata giú, Angelo non c'era. La porta era spalancata, libera. In mezzo ci passava solo il tubo della pompa. Il rubinetto, piazzato quasi sullo stipite interno, era girato verso destra, aperto. Srotolato, verde e nero il tubo strisciava oltre la porta, gonfio d'acqua. Angelo di sicuro stava con il pollice tozzo a tappargli parte della bocca. Cosí lui lavava gli oleandri polverosi sul retro, a schizzo sparso e violento. Gli davano un gran da fare gli oleandri e il portone da gestire. Per questo lo aiutavano ai cessi quelli coi guanti nuovi a rotazione.

Attraversando il cortile, Elena vide Scauri seduto sull'unica panchina rimasta sana. Le altre erano marcite dall'umido, divelte dal bivacco generale. Scauri mangiava il vero panino al montone. Voleva diventare islamico. Era questa la sua ultima passione. Prima di azzannare valutava bene dove farlo, proprio come faceva lei. Gli si avvicinò, l'uscita era appena oltre la panchina. Anche volendo, non poteva evitarlo.

– Esci un'ora prima? – le chiese, puntandole addosso il suo sguardo opaco.

– Sí.

– Anche io. Aspettami che usciamo insieme.

– No. Professore io ho fretta.

– Anche io. Ecco, ho fatto.

Per quale motivo a Scauri servisse compagnia per uscire dalla scuola non era chiaro. Ma Elena non aveva tempo di chiarire niente. Camminava avanti a lui veloce, mentre Scauri ancora masticava, accomodandosi meglio la cinghia della borsa sulla spalla.

– E aspetta, Lucciola.

Elena varcò il cancello con cautela. Dall'altra parte della strada, seduto a gambe incrociate sui gradini dell'Unicredit c'era Oscar. Puntava l'ingresso della scuola come un cecchino.

– Sta già lí. Ad aspettarmi.

Oscar la vide e scattò sull'attenti, con un salto.
Elena si voltò verso Scauri che l'aveva raggiunta.

– Che c'è? Non hai piú fretta?

– Professore, ora stammi a sentire.

– Sento, con calma però.

– Non c'è calma. Ora noi andiamo via, insieme.

– Che?

– Dopo ti spiego, professore.

Oscar attraversò la strada, bloccando il traffico
con le mani.

– Che ti prende? Dove mi porti? – disse Scauri, infilandosi in tasca la cartaccia del panino. Elena lo trascinava con forza per la giacca.

– Dove sta la tua macchina?

– Al prossimo incrocio.

– Dove?

– Elena, ma che c'è?

Era la prima volta che la chiamava per nome.
Oscar li seguiva passo passo, in attesa che i due si
dividessero.

– Scauri voltati, dietro c'è Oscar. Per favore digli di andarsene.

– La Sirena?

– Lui.

Scauri si voltò. Oscar fece finta di niente ma si
avvicinò, piano.

– Sirena, che fai ci segui?

– Professore, non si metta in mezzo, – gli rispose
col fiatone.

– In mezzo a cosa?

– In mezzo a noi.

– Ma che storia è?

– Niente, andiamo, – gli disse Elena.

– Sirena, lei dice: «andiamo». E io, come sai,
mi attengo agli ordini.

– Professore, queste sono cose nostre, veramente nostre. Non c'è da scherzare.

– Può venire con noi la Sirena?

– No.

– Mi dispiace, ma non puoi venire.

– Ci dispiace, tu non puoi venire, – disse Elena, godendosi la furia sommersa di Oscar.

– Tu ce la paghi questa, Elena.

– È da vedere, – disse Scauri, e si allontanò. Ora
trascinava lui Elena, per un gomito. Lei ogni tanto si voltava per vedere se Oscar si fosse davvero
rassegnato. Abbracciò Scauri, cingendogli la vita
meccanicamente. Non le andava di essere tirata
via come un telo da spiaggia. Ma si scostò quasi
subito. E Scauri si chiuse l'ultimo bottone della
giaccia, sollevato.

L'ultima volta che le era capitato di abbraccia-
re un uomo grande, l'uomo grande aveva detto a
sua madre: – Appena vedono un paio di pantaloni ci si attaccano come gatte le bambine senza padre –. Faceva caldo, camminavano in centro. L'uomo grande si chiamava Emilio. La storia finí lo
stesso giorno. O forse pochi giorni dopo. Suo padre era morto già da un anno.

– Fermati, ci siamo arrivati alla macchina.

Era una Smart. Elena la osservò sorpresa mentre Scauri si appoggiava allo sportello chiuso.

Grattandosi una tempia, la scrutava severo.

– Finito il pedinamento? Mi vuoi dire ora che
è successo?

– Non c'è tempo. Monta.

– Elena, ma perché mi dài del tu?

– Non lo so, mi è venuto. Apri e andiamo.

– Macché andiamo. Io vado, tu torni a casa tua.

Elena lo intrappolò a braccia tese contro la macchina, piantate appena oltre le spalle di lui. Con gli occhi a pochi centimetri dal mento di Scauri, cercò di farsi capire meglio.

– Non ha smesso di inseguirmi. A casa non ci posso tornare, mi aspetta lí sotto, hai capito?

– No.

– Allora te lo spiego, ma mentre andiamo.

– Dove?

– Dove ti pare a te. Io devo solo andare lontano.

Scauri sbuffò e, ciondolando, le aprí lo sportello.

– Prima le signorine, – disse tornando rigido.

Elena entrò convinta di trovare lí dentro i capelli lisci di una morta, strangolata da una cinta di Gucci.

– Che guardi, che hai? – disse Scauri, mettendo in moto.

– Di chi è questa macchina? Non può essere tua.

– E invece è mia. Senti signorina, tira fuori il mio telefonino dalla borsa e chiama tua madre.

– Non c'è, sta in campagna. Torna domenica sera.

– Chiamala, deve tornare prima.

– Non torna. Fidati. E se io la faccio tornare, si unisce a Oscar e mi ammazza.

Scauri rallentò al semaforo, era arancione.

– Guidi bene.

– Grazie, non mi piace guidare.

– Appunto.

– Avrai qualcun altro da chiamare?

– No, solo mia madre.

– Solo tua madre?

– Mio padre è morto. Sua madre ci odia perché

noi ci siamo prese la casa che lei vuole vendere, è
sua.

– E tua madre, non ha nessuno lei?

– Mia madre non è di Roma. I miei nonni vivo-
no vicino a Amantea. Mia madre non ci parla con
loro, da quando è venuta qui a fare l'università.
Mio nonno si chiama Saverio. E non è venuto a
trovarla nemmeno quando sono nata io.

– Basta, basta. Ho capito. Avrà delle amiche tua
madre, o no?

– Sí, una. Ma è incazzata nera perché ha acceso il mutuo.

Scauri si mise a ridere. E svoltò, abbandonan-
dosi sul volante.

– Sei calabrese, come ho fatto a non capirlo…

– Sono nata a Roma. Della Calabria non so niente.

– Io sono di Riace.

– Non so dov'è.

– Lontana da dove state voi.

– Non mi importa niente di Riace. Noi viviamo
a Roma.

La città a quell'ora era un gomitolo bagnato e
pieno di nodi. Un pony si accostò a loro, superan-
doli malamente.

– Ci crepassero ad andare cosí.

– Hanno fretta. E tu vai come una lumaca.

– Non avevi detto che ti piaceva la mia guida?

– Sí, ma non la conoscevo ancora bene.

– Sembra la scusa che si dice alla fine di un amore.

Elena guardava dritta davanti. Quella battuta
scontata l'aveva messa un po' in imbarazzo.

– Quanti anni hai?

– Quarantadue, il prossimo mese.

– Come mia madre.

– Che è quella bella donna, con le gambe lunghe?

– No, quella è la madre di Marina.

– Qual è allora la tua?

– Non l'hai mai vista. Lei con te non ci vuole parlare.

– E perché?

– Dice che... ci trasmetti il pessimismo. E non sei un uomo risolto.

– Che? E che ne sa lei?

– Lo sa.

– Le ripeti quello che dico in classe?

– Ogni tanto.

– Questo mi fa piacere.

– Anche a me, lei però ci si incazza per ore.

– Ma cosa vuol dire un uomo risolto, tu lo sai?

– Sí, uno diverso da voi due.

– Tua madre mi ha dato un'idea. Bisognerebbe fare un dizionario di tutte le parole insulse, di tutte 'ste minchiate psicanalitiche.

– Non fare il furbo, lei parla male, ma ha ragione.

Davanti, sotto le ruote, c'era un tappeto di foglie rosse, grosse. E anche gialle, piú piccole. Parecchie stavano ammucchiate, in gruppi regolari lungo il ciglio della strada.

– Perché abbiamo preso la Nomentana?

– Perché è la strada che faccio sempre.

– Sempre. Non è una risposta.

– Elena, mi devi dire cosa è successo.

– Niente. Gli altri si sono montati per una storia. Tra qualche giorno gli passa. Vogliono farmi confessare, il falso.

La discesa di Batteria Nomentana arrivò all'improvviso. E i palazzi ai bordi della strada si aprirono in una «v» rovesciata. Sembrava volessero fargli largo.

– Gli altri chi?

– Oscar, Antonio, Luca. Tutti.

– E caro Apollo?

– Dice che c'ha l'influenza. E comunque lui è uno vigliacco.

– Sembra che ti voglia bene però.

– A volere bene non ci vuole coraggio.

– Dipende a chi decidi di volerne. Tu a chi hai deciso di volere bene, per esempio?

– Non a Marco. E le interrogazioni falle in classe, comunque.

– Povero cornuto.

Scauri lo aveva dichiarato abbassando la voce. Elena pensò in quel momento che Scauri non variava il tono tanto spesso.

– E allora? Professore, ora dove andiamo?

– Stai un po' zitta. Che mi hai fatto sbagliare strada.

– Scusa.

– Ti scuso.

Fecero un giro intorno a una piazza che sembrava fatta di ricotta col Nesquik. Tutta marrone e bozzuta. Si infilarono in una stradina stretta che poi si allargò moltissimo. Sembravano due strade diverse, però era sempre la stessa strada.

– Qui dietro mi sa che c'è il Branca.

– Lo abbiamo superato.

– A te non piace, vero?

– Non lo so, non ci sono mai stato.

– Mi sa che non ti diverti tanto te, in generale dico.

– Siamo quasi arrivati.

– Già?

– Elena, tu stai sempre zitta. Io ti immaginavo diversa.

– Diversa come?

– Piú grande. Invece sei proprio piccola piccola, sai?

– Vaffanculo.

– Non c'è niente di male.

– Questa è casa tua?

– Sí, quella giú in fondo.

La casa di Scauri era alta, stretta con tanti appartamenti dentro. Il portone era un po' antico. A fargli la guardia due statue che sembravano cerbiatti.

– È uguale a quella che sta vicino a Auchan la tua casa.

– Non la conosco.

– Ma non conosci niente a parte Riace?

– Zitta, Lucciola. Calabrese.

Scauri imboccò una rampa che portava sul retro dello stabile. Uscí dalla macchina e aprí una serranda elettrica con una piccola chiave quadrata. Vicino c'era una porta di ferro aperta, un albero d'edera la travolgeva. Elena un albero d'edera non lo aveva mai visto prima. Scauri rientrò, aspettarono in silenzio che il cancello si aprisse del tutto. Scauri si ficcò soddisfatto tra un motorino coperto da un panno impermeabile e una Micra gialla.

– Sono cosí belle le macchine gialle, – le disse.

– Nella Smart che hai rubato c'era odore di schiuma da barba.

– Ora te ne accorgi?

– E certo, non c'è piú. E mi manca.

– Mi stai prendendo in giro? Andiamo.

Scauri le diede una spinta verso l'uscita interna del garage.

– Proprio piccola piccola... Ora, appena salia-
mo lo dico a tua moglie che ci hai provato!

– Diglielo, vedrai come ti risponde. E non dire
tante fesserie.

– Glielo dico, subito.

Presero l'ascensore. Lo specchio rettangolare
era coperto da un cartello dell'amministrazione.
Pregava i condomini di richiudere bene il portello una volta usciti. Il cartello copriva la faccia di
Elena. E la faccia di chiunque, alto normale.

– Sono nani qua dentro? – chiese a Scauri che
di spalle aveva già piantato le mani sulla maniglia,
pronto a uscire.

– Perché, ti volevi specchiare?

Lo stuoino fuori dalla porta era sfibrato e man-
giucchiato, peggio di quello che avevano loro.

– Hai un cane?

– No.

– Peccato, mi piacciono molto i cani.

Scauri aprí la porta. L'ingresso era cosí scuro
che accese la luce, andando a tentoni con la mano
sul muro.

– Che cazzo di casa! Vivete in una catacomba?

– Siediti qui, aspetta, – disse Scauri a Elena, in-
dicandole una poltroncina di velluto. Alle pareti
non c'era niente di niente. Solo chiodi al muro. E
vecchi segni, impronte di quadri. Elena si alzò per
capire meglio, ma sembrava fossero passati i tra-
slocatori lí dentro.

– Che c'è? – le chiese Scauri che era tornato a
riprenderla, senza piú la giacca addosso. La cravatta gli pendeva lunga oltre la vita, sembrava un
attaccapanni.

– Niente. Ma ci vive qualcuno qui dentro? – gli
chiese Elena, guardandosi intorno.

– Vienimi dietro e stai attenta a dove metti i piedi.

Elena lo seguí, mettendo i piedi dove li metteva lui. Per terra era pieno di vecchi giornali e libri e scatole, pile di vestiti ripiegati, colonne alte di cd e dvd.

Arrivarono in una stanza semiarredata. C'era una scrivania, un lettore e un divano. Al muro qualche pezzo di scotch ingiallito da cui pendevano ancora angoli di poster strappati.

– Ma tu ci vivi qui?

– Sí.

– Ci vivi da solo?

– Vedi qualcun altro?

– E tua moglie?

– Mia moglie, mia moglie. Sei fissata con queste mogli. E perché a tua madre non se la sposa nessuno?

– Stai zitto. È lei, vero? – chiese Elena, davanti a una foto di una tizia, appoggiata su un tavolino basso, senza cornice. In mezzo a quella tristezza ordinata sorrideva contenta.

– No.

– Tua moglie dov'è?

– Non c'è.

– È scappata? Prima ha strappato i poster però...

– Non c'è, ti ho detto, – le rispose Scauri.

– E allora questa qui chi è?

– Una.

– Una che?

– Una. Ce l'ha messa lei quella foto.

– Perché?

– Cosí.

– Ti piace ancora?

– Non mi è mai piaciuta tanto.

– State insieme?

– No. È una scassaminchia micidiale.

Elena afferrò la foto. E la guardò meglio, da vicino. Sul collo la ragazza aveva una galassia esplosa di lentiggini.

– Lei non c'ha la tua foto esposta, sicuro, – gli disse.

– Elena, rimettila al suo posto, – rispose Scauri, con tono nervoso.

– Rimettila al suo posto la mia scassaminchia, – lo sfotteva. Poi strinse la carta lucida della foto nel pugno.

– Ma che fai? Dammela, – le disse Scauri, avvicinandosi a mano tesa. Elena gliela lanciò contro appallottolata. Lui si chinò a raccoglierla. La riaprí, la strusciò sul torace in fretta, stirando bene i bordi.

– Perché lo hai fatto? – le chiese. Apprensivo risistemò la ragazza dove stava prima. Ma quella in equilibrio non ci stava piú, cadeva.

– Guardala quanto scassa! Non sta mica ferma.

Scauri le sorrise. E disse: – Giusto –. Poi uscí dalla stanza portandosi il cordless appresso.

– Dove vai?

– Al bagno, – le disse sottovoce.

– Vai, vai a piangere di nascosto, coniglio.

Elena si affacciò alla finestra. Davanti c'erano altre case e finestre. E pezzi di muro. Elena non se lo immaginava proprio Scauri senza una moglie vera. Era solo. Con una tizia che gli rideva ostinata addosso.

Uscí dalla stanza, entrò in quella accanto. La cucina. Non c'era il tavolo, solo una sedia. Quattro armadietti. Un paio di scope appoggiate al muro di fondo. E un secchio rosso. Il lavandino era grande invece, fatto di marmo.

– Hai fame? – le chiese Scauri sulla soglia. Poi le appoggiò la mano grande e calda sulla spalla.

– Io non mangio mai insieme ad altre persone.

– Tira fuori il pane. Sta nella busta, attaccata alla finestra. Apri il frigo, trova quello che ti piace.

– Non ho fame.

– Avanti, non fare la scema.

Scauri uscí, richiudendosi la porta alle spalle. Davanti agli occhi di Elena spuntarono una decina di foto, attaccate con le puntine.

Scauri con una donna vecchia che stringeva sotto il gomito un ombrello e guardava dritta. Scauri abbracciato alla scassaminchia che lo scansava perché voleva bere in pace una birra. Scauri per strada, camminava con un cappotto grosso mentre la scassaminchia lo seguiva distratta. Un bambino in mutande con un leone di peluche vicino. Lo stesso bambino che piangeva tenendo un piede sollevato. E due ragazzi in costume, seduti in pizzo a sassi scuri. Bagnati, con gli occhi stretti per la luce. I gomiti sui ginocchi, i piedi che quasi si toccavano. Entrambi di spalle a un mare verde e fermo.

Elena ora aveva paura. Non sapeva bene di cosa. Ne immaginava milioni di cose. Una corrente fredda arrivava dalla finestra, una fessura stretta come quelle di certi bagni. La corrente arrivava per infilarsi dentro di lei, portandosi appresso milioni di cose in una cosa sola. Questa era la paura.

Tirò fuori dalla busta una rosetta gommosa e la mise sul piano, in cima al frigo. Le fece posto tra un mucchio di cipolle viola. Era difficile scegliere quello che le piaceva in quel frigo, faceva tutto schifo. Tirò fuori una caciotta e un pezzo di sala-

me. Trovò delle alici e una busta di pistacchi in giro. Mangiò in silenzio, masticando a bocconi piccoli e lenti quello che le capitava.

Dopo un po' suonò una cosa, due volte. Elena
sentí Scauri ripetere: – Subito.

Si precipitò in corridoio e lo guardò con sospet-
to.

– Chi è, la scassaminchia? – gli chiese.

– No. È arrivata la Cicala.

– Hai chiamato Silvia prima? Le hai detto che
sono qui?

– Sí, cosí tornate a casa insieme, ti aspetta giú.

– Come ho fatto a fidarmi di te, – disse Elena e
lo guardò fisso in faccia. La gente davvero in gamba è abituata alle fregature, anche alle piú dure e
non perde tempo. Smise di fissarlo e controllò in
fretta se addosso avesse ancora tutto. Chiavi, portafoglio, cappello.

– Ti accompagno. Se c'è la Sirena, ci parlo io.
Va bene cosí?

– Ma quale Sirena? Si chiama Oscar, imbasti-
sci solo stronzate. Stai fermo. Me la vedo da sola.

– Agli ordini. Obbedisco.

Scauri aveva alzato le mani sorridendo.

– Non fare il furbo, soldato, tu hai tradito.

Elena lo strattonò e uscí, sbattendogli la porta
in faccia.

Ventuno.

– Prova cappucci! – disse Oscar, serio. Antonio gli tirò giú il berretto, fino sotto il mento. All'altezza degli occhi erano predisposti due buchi, tondi come monete. Un'apertura a mezzaluna per la bocca. Due squarci irregolari per le orecchie.

– Ci vedi? – chiese Antonio.

– Benissimo, ora vieni tu sotto, – rispose Oscar. E ricambiò il servizio. Gli sfilò il casco, lo incappucciò con un berretto identico al suo. Antonio accolse il casco con un gesto grave, stringendoselo al petto. Oscar pizzicò le labbra dell'amico che sporgevano fuori dalla fessura.

– Messe cosí sembrano piú grosse, – gli disse, sfiorando sospettoso quel becco gonfio.

– Mi ha cucito il buco troppo stretto, – rispose Antonio. Luca invece fece tutto da solo. Il suo berretto era diverso dagli altri. Due gocce si allargavano dagli occhi fino a metà guancia, riprese in cima da un punto di filo grigio. Non aveva il foro per la bocca, nemmeno per le orecchie. Una linea di croci chiare gli disegnava un sorriso fisso.

Marco disse che lui non ce lo aveva dietro il suo cappuccio. Non sapeva proprio che servisse. Lo avevano convocato mentre ancora dormiva. Aveva preso l'Aulin e sudava.

– Dovevamo lasciarti nel letto, a cagarti sotto,

– commentò Antonio. La voce che veniva fuori dalla bocca stretta lo rendeva piú minaccioso del solito. Luca calciò forte per terra, per zittire Boxo. Il cane gli abbaiava contro, il padrone con quella faccia non gli piaceva. Soprattutto non gli piaceva di ritrovarsi metà muso intrappolato da una calza di lana grigia, con saette e fulmini di panno fucsia appiccicati sopra.

Silvia aveva assistito in silenzio forzato alla preparazione. Perché ce ne sarebbero state di cose da dire su quei pagliacci. Antonio improvvisamente le chiese se avesse con sé un rossetto.

– A che ti serve un rossetto?

– Ce l'hai dietro, o no?

– Ora vedo.

Silvia frugò nella sua piccola borsa, dove entrava sempre un sacco di roba.

– Allora?

– Sí, eccolo.

Ne tirò fuori due. Uno era un lucidalabbra. Antonio lo scartò, gettandolo a terra. Boxo iniziò a giocarci, lo azzannò. E Luca lo liberò dalla museruola di lana, poi lo costrinse a sputare, infilandogli una mano sicura nel morso. Antonio invece si avvicinò a Marco. Sfilò il tappo all'altro rossetto e lo rigirò alla base. Venne fuori una supposta color prugna, compatta. Si passò la punta sulle labbra sporgenti. E poi tracciò due cerchi intorno agli occhi di Marco che lo fissavano svitati dal resto della faccia come quelli di una bambola rotta.

– Che mi hai fatto? – gli chiese, inerte.

– Non c'hai il cappuccio, ma cosí stai perfetto.

– Silvia, che mi ha fatto?

– Siete ridicoli, ora ridammi il rossetto.

Boxo guaiva. E annusava la borsetta, dove Silvia aveva riposto schifata il lucidalabbra.

– Alzatevi i cappucci, presto. Ce li ricaliamo in missione. Anche tu Silvia stai attenta. Ora si chiarisce il piano, – disse Oscar. Mentre gli altri si liberarono dei musi da battaglia arrotolandoli sulla fronte.

– Bene, niente cazzate. È un'ora morta, ma può passare qualcuno. Se passa, massima calma. Noi aspettiamo un'amica. E scusarsi parecchio, di tutto. Basta questo, – disse Oscar.

– D'accordo, ma sono le due. E lo sai che non lo condivido, come orario, – commentò Antonio.

– Antonio, io comando. E tu sei fondamentale. La regola la conosci, – disse Oscar, con tono cosí autorevole e certo che Silvia si sorprese e lanciò un'occhiata stupefatta a Luca. Dito sulla bocca, Luca le impose: – Zitta.

– Prima cosa, – riattaccò Oscar, – Antonio, Luca, Marco dovete entrare, insieme a me. Ce la carichiamo dentro. E tocca nascondersi, bene. Se Elena scende accompagnata da Scauri, tu Silvia te la carichi in motorino, come se niente fosse. Poi ti fermi all'angolo che ti ho fatto vedere. Con una scusa valida. Inventatela bene. Elena non deve fiutare e scappare.

Silvia annuiva veloce, mangiandosi le unghie finte.

– Tu ti fermi, – continuò a dire Oscar a lei e a tutti gli altri, se stesso compreso, – noi arriviamo. E me la cedi.

– Che vuol dire te la cedo?

– Che mi lasci fare.

– Se scappi con lei, fattele d'acciaio le unghie perché ci dovrai grattare il coperchio della bara. Chiaro? – aggiunse Antonio, imitando il tono di Oscar.

– Mi fermo, mi fermo, – rispose Silvia. – Che razza di scontati che siete, pure nelle paure che fate.

– Seconda cosa, – Oscar non ammetteva distrazioni in quel momento, – se invece non c'è Scauri, se Elena è sola la carica Antonio, chiaro?

– Antonio, – ammise Luca a malincuore.

– E poi me la cede, subito.

– Subito, – confermò Antonio.

– Bene. Con Luca, Marco, Antonio e Boxo ci si vede poi al kampone. La porto lí. Silvia tu invece non vieni e stai zitta, per un'ora almeno, – concluse Oscar, appoggiato alla nicchia dove viveva uno dei cerbiatti che adornavano il portone di Scauri.

– Perché non sono venuta direttamente io a prenderla? Da sola. Siete idioti? Poi ve la cedevo da un'altra parte. Non qui che è comunque un rischio, – commentò Silvia, che al tono di comando di Oscar si era già abituata e non le faceva piú tanto effetto.

– Perché tu ci avresti inculati sicuro, portandotela a casa tua, – rispose Luca.

– A casa mia non ce la portavo. Mio padre mi massacra se sa che mi sono messa in questa storia.

– Avanti, ora siamo pronti. Citofona. Falla scendere, – le impose Oscar.

– Stai molto attento a come parli con me. Mio padre è uno che ti può rovinare, – rispose lei.

Antonio ci mise del suo e le diede una spintarella di incoraggiamento, Silvia indolenzita dalla botta cercò un po' tra le targhette lamentandosi. Trovato il punto pigiò forte. Alzò gli occhi al cielo, sbuffò raccogliendosi i capelli di lato, per sdrammatizzare. Ma i suoi compagni non avevano voglia di scherzare. E non funzionavano le cose proprio come lei le conosceva. Non in quel momento.

– Sono Silvia, può fare scendere Elena per favore?

Dopo un gracchio prolungato e un fischio il portone scattò.

Oscar entrò per primo. Mani ai fianchi si bloccò al centro dell'androne. Doveva farsi un'idea del campo. C'era una sola scala, ripida. E due ascensori, chiusi in un'unica colonna esagonale. Antonio lo superò veloce, schizzò da un lato all'altro del campo, assetato di soluzioni immediate. Fece cenno agli altri di seguirlo. Oscar, rimasto immobile, disse: – Mai tutti insieme, è un errore. Luca, tu scendi sotto, con Boxo. Lontano, il cane potrebbe abbaiare. Ti avvertiamo, quando sarà.

– Boxo non abbaia. È uno di noi, – rispose Luca, convinto. Poi scese dove gli era stato imposto, trascinando il cane per il collare.

Silvia, rimasta sul portone, disse forte: – Buongiorno, lasci aperto, aspetto un'amica.

Una donna giovane entrò dopo poco. Oscar e Antonio la fissavano con le facce allarmate. La donna li guardò e disse: – Voi che fate, dovete salire?

– No, scusi, aspettiamo anche noi l'amica, – le rispose Antonio. La donna chiamò l'ascensore. Entrò, spingendo con forza il portello. Per fortuna era già incazzata di suo.

– Antonio, – continuò Oscar, appena scampato il pericolo, – tu mantieniti qui, a tiro. Devi essere tu il piú vicino di tutti. Marco viene con me. Non è in grado di agire da solo.

– Ma vaffanculo, – gli rispose Marco.

E Oscar lo prese per un gomito dirigendosi verso il primo piano.

Mentre saliva, Oscar si voltò verso Antonio e disse: – La situazione si capisce con le orecchie, dunque silenzio totale.

Antonio si accucciò dietro la vetrata a ridosso della colonna ascensori. Era una guardiola dismessa. Da lí poteva monitorare la discesa e la salita dell'ascensore di destra. In cima alla porta che sembrava fatta di sughero c'era un quadrato nero. Un 7, luminoso e arancione, vi si stagliava fisso in mezzo. Il piano dove la donna incazzata era arrivata e scesa. L'ascensore di sinistra invece Antonio da lí non lo vedeva. Era l'unica fregatura di quella postazione per il resto perfetta. Silenziò le sue cartuccere infilando chiavi, cacciaviti e tutto ciò che gli penzolava agganciato in vita nella tana delle tasche.

Partí il risucchio della chiamata. Non era l'ascensore destro, il 7 era ancora immobile davanti ai suoi occhi. Partí un altro risucchio. Ora erano entrambi in movimento. E nella doppia corsa di ferraglia, il 7 divenne un 6, poi un 5. E si fermò. Antonio se la rischiò, perché il 7 era il suo numero d'oro. Uscí veloce dal nascondiglio e vide che il sinistro segnava 3. Tornò in postazione sforzandosi di capire. E l'ascensore destro segnò 4 poi 3. E di nuovo fermo. Tanto per cominciare, forse Scauri abitava al quinto piano. Chi scendeva lo stava facendo a sinistra, nell'ascensore che lui non vedeva. Perché la fortuna è la regina delle troie, una puttana.

– È sola, è scoperta, – disse Oscar a Marco tenendolo schiacciato contro il muro. Entrambi schiacciati dietro una felce in vaso che gli si infilava dappertutto.

– Che ne sai? – rispose Marco.

– Ha chiamato tutti e due gli ascensori, vuole fregarci.

– Scusa, magari lo ha chiamato qualcun altro.

– Possibile. Ma io le mosse di Elena me le sento chiare. Le capisco. Perché sto lucido, non sono innamorato del nemico.

– Io non sono innamorato, di nessuno.

Silvia, rimasta fuori, teneva con il piedino imbottito dal moon-boot crema il portone pesante cosí che non si richiudesse. Imbambolata nel riflesso d'ottone delle scanalature.

Di fronte al pulsante di plastica sfocata dell'ascensore, Elena cercava di concentrarsi. Era fottuta, in teoria. Perché di certo Silvia, lí sotto, non l'aspettava sola, anche se a braccia aperte. Però in pratica aveva un vantaggio, conosceva meglio di loro quel palazzo. Fuga dal garage, dalla porta aperta col tronco d'edera addosso. Era questo il suo obiettivo. Gli altri stavano davanti, ma lei conosceva il dietro. I suoi compagni non erano pronti per i veri accerchiamenti. Non erano professionali, non avevano mai cucito e foderato una sciarpa per venderla.

Prima mossa. Chiamare l'ascensore, chiamarli entrambi, buttarla in caciara. Ci arrivavano comunque tutti e due in garage. Ma l'importante era riempire di indizi la testa di quegli scemi, cosí che lei potesse cucirsi la fuga bella dritta. Chi cerca non sa dove sei. Non ha direzione, è piú lento di chi scappa.

Elena prese l'ascensore di sinistra, quello di destra si era appena fermato. Scese al terzo piano. Richiamò il destro. Aspettò che fosse al piano, non lo prese e si rinfilò invece in quello di sinistra. Era nervosa ma rideva, cavarsela da soli era anche divertente. Rimise subito a fuoco ago e filo e spinse il pulsante TT, *terra terra*. Il garage. Il cartello dell'amministratore stava sempre lí, a fare la guerra alla gente non nana che si vuole specchiare.

L'ascensore rallentò, poi si assestò in un piccolo rimbalzo. La porta ora si poteva aprire. Elena uscí svelta. Il corridoio del garage era illuminato da un neon a corsia, piazzato lungo il soffitto a botte.

Dal fondo apparvero le croci del sorriso fisso di Luca nel cappuccio. Elena fece dietrofront. Si infilò di nuovo in ascensore, con lei era entrato anche Boxo. L'aveva braccata rapido, il maledetto lupo del cazzo. Non poteva tornare su. Era arrivato un momento tosto, tutto di nuovo fuori fuoco, un impiccio nel lavoro. Si consegnò all'istinto e spinse SS, destinazione ignota. Boxo l'annusava e abbaiava, Elena lo carezzò per calmarlo. Lo liberò dall'oppressione della lana e dei fulmini fucsia. Erano scesi in campo. Come nelle grandi occasioni, si erano acchittati con i cappucci che lei a uno a uno aveva studiato e cucito per loro.

– È sola, nell'ascensore di sinistra, sotto. Puntava il garage, – disse Luca, sollevandosi il cappuccio per parlare. Antonio, Oscar, Marco e Silvia lo avevano raggiunto.

– Lo sappiamo. Perché non l'hai caricata? – rispose Antonio.

– Dovevi farlo tu, non era compito mio, giusto?

Oscar e Marco lo travolsero, filarono veloci giú per le scale. Antonio si incappucciò e prese la sua via, la piú rapida. Scivolò tra corrimano e scale. Dove la scala si apriva in un piano lui saltava la curva e si mangiava lo spazio, con due passi direttamente sul muro.

– Non fare casino. Ci è andata bene finora, ma c'è gente qui dentro, – gli disse Oscar.

– Dov'è Boxo? – chiese Silvia a Luca, mentre scendevano lenti e ultimi le scale. Ma Luca aveva perso il compagno sul campo. Boxo l'aveva bloccato indietro, gli aveva ostruito il passaggio poco prima. Poi era schizzato a razzo verso Elena, ossesso, non aggressivo, ma come quando era davvero felice di vedere qualcuno. Luca ora non aveva piú voglia di ricalarsi il muso da battaglia.

– Con lei.

– Con lei?

– Si è precipitato nell'ascensore.

– Oddio, e se la morde e le fa male? Guardate che è incinta.

– Vedrai, è lei che morde lui.

– Ma quanti piani ci sono ancora da fare in giú!

Non c'erano pareti. Ossia, non c'erano pareti salde, di cemento armato. Ma schiene di mattoni regolari, dipinte di bianco. Lampadine nude e accese pendevano lungo tutto il corridoio profondo e stretto. Era la vecchia pancia del palazzo. Una mano recente di vernice gli aveva tappato tutti gli angoli e le fessure.

Elena correva con Boxo, fedele al suo fianco. Arrivati alla fine del corridoio trovarono uno stanzone, Elena si bloccò affannata. Cinque porte stavano in fila. Stampate sui mattoni come lastre adesive. Sopra ciascuna c'era una piccola grata, dentro le celle era buio pesto. Mentre fuori era illuminato da altre lampadine appese. Nessuna via di fuga. Le porte, sprangate. Sulle ante, anche loro dipinte, svettavano sigle di vernice nera: «1/ab», «2/de». In mezzo a tutto quel bianco era impossibile na-

scondersi. A guardarle lí dentro le cose nere poi facevano brutti scherzi. Boxo accucciato e rassegnato sembrava la bocca di un pozzo.

Elena sentí per prima la voce di Antonio che si
avvicinava con un rimbombo morbido:

– 'Sto posto è assurdo!

Boxo abbaiò, contro una delle porte. E Luca
gridò: – Eccoli stanno di qua… – Elena era pronta. Doveva chiudere il lavoro, fermarlo come al solito. Anche se l'impiccio dei fili si era rivelato una
trama precisa. E ora le toccava la battaglia.

Il primo a vederla fu Marco, spintonato da
Oscar.

– Allora sei guarito. Ma che c'hai in faccia? –
disse Elena prima che Marco fiatasse. Mentre Silvia si guardava allarmata le punte impolverate delle scarpe.

– Ora mi dici dove scappi? – le chiese Luca,
riacciuffandosi il cane con rabbia.

– Ma che si scende cosí in missione? Calati subito il cappuccio, stronzo, – gli rispose seria.

– Elena, questi occhi me li ha fatti lui…

Marco si indicò i cerchi marroni con un dito. E
con l'altro indicò Antonio.

– Silvia, tu hai addosso la mia sciarpa. Che co-
raggiosa che sei stata a riportarmela.

Oscar si fece avanti, con le mani giunte sulla
bocca a mezzaluna.

– Bene, Elena. Io ce l'ho il tuo cappuccio, io sono uno corretto. E sono venuto fino in questo cesso per sapere…

– Cosa?

– Lo sai. Ma te lo chiedo per l'ultima volta. Di
chi è il figlio?

Elena non rispose. Fissava gli occhi di Oscar che sporgevano fuori dai buchi. Si ricordò di quando li aveva tastati e perimetrati con un gessetto per non sbagliare le proporzioni del cappuccio. Oscar allora stava immobile e attento sotto le sue dita.

– Elena, rispondi. Spiegati, – la supplicò Marco, mentre Silvia annuiva spiando le porte con aria interrogativa.

Elena non doveva spiegare niente, a nessuno. Tanto meno a lui che la prima volta che erano stati assieme l'aveva stretta forte, soffocandola di baci. E ora stava lí a frignare falso con due cerchi di merda stampati sulle palpebre.

– Forse… Io una volta me lo sono sfilato il preservativo il mese scorso, tu non te ne sei accorta subito. Scusate, ma per onestà dovevo dichiararlo di fronte a tutti, – disse Antonio, portandosi la mano a pala sul cuore, per confermare la sua buonafede.

– Te ne sei accorta o no? – chiese Luca. Appoggiandosi alla colonna sbrecciata che apriva l'arco d'ingresso allo stanzone.

Elena ancora non fiatò. Girò la testa contro il muro, diede le spalle ai suoi giudici. La volta che Antonio se lo era sfilato lei lo aveva afferrato subito. E lui si era rassegnato a farselo smanettare a lungo. Era venuto poco e trasparente.

– Allora? – la incalzò Antonio.

Senza voltarsi Elena trascinò su e giú la mano, come a fare una sega a un fantasma.

– Ci prende per il culo, – disse Oscar.

– Basta Elena smettila! Parla e andiamocene da qui, – gridò Silvia, che si era avvicinata a lei, scrollandole le spalle.

– Non c'è niente da fare, questa cosí non parlerà mai, – concluse Luca.

Antonio tirò fuori dalla cintura una cosa che passò a Oscar. E Oscar trovandosela in mano la strinse. Elena era sempre voltata di spalle. Respirava contro la parete che sapeva di vernice. E sotto di muffa. Era anche umida. Da vicino meno bianca. Forse l'acqua trasudava o spingeva in quel punto. E non c'è vernice che possa tappare l'acqua. Quando scappa via dai tubi e va giú fino al centro molle della terra. Dove non c'è piú nessuno che ti guarda.

Oscar si avvicinò, scansò Silvia. Fece scattare il coltello che aveva in mano. Elena si voltò. Oscar le puntò contro la lama: – Parla, cazzo! – le disse.

– Aiutami Marco! – gridò Silvia, mentre fingeva di afferrare il braccio di Oscar. Ma Marco non poteva fare niente perché Antonio l'aveva bloccato. Mentre Luca teneva fermo Boxo per il collare.

– Silvia, stai lontana, non farti male. Oscar aspetta, ora parlo, – disse Elena. Oscar si allontanò di poco, mantenendosi all'erta. Elena sfilò via la felpa e la consegnò a Silvia. Poi la maglietta. Con un gesto rapido arrivò a scoprirsi fino al naso, tenne per un attimo occhi, zigomi e nuca coperti. Poi uscí dalla sua prigione di cotone lanciando l'ultimo velo per terra. In bocca a Boxo che, strattonando il suo padrone, l'afferrò.

Rimasta a torso nudo, Elena alzò in alto le braccia.

– Ecco, chiedimelo ora Oscar, cosa vuoi sapere?

– Elena rivestiti o ti ammazzo, – disse lui.

– Ammazzami se ci riesci. Infila in un punto dove pensi possa farmi ancora male.

Lo sfidò, avvicinandosi. Ma Oscar teneva il coltello puntato e indietreggiava. Dentro il cappuccio sembrava che non ci fosse piú la sua faccia. Ma una cosa sgonfia, senza ossa.

Era difficile scappare, l'unica cosa era sparire o diventare liquidi. Perché il busto di Elena bruciava. I tentacoli di cera erano vivi. Si rincorrevano nell'incavo del seno. Elena avanzava e li mostrava a ognuno di loro tenendo sempre alte le braccia. Tremava anche, lacrime le colavano giú lungo il collo. Poi sparivano, asciugate dall'agguato del fuoco.

– Che aspetti tu? Non lo trovi un punto da bucare? – chiedeva a tutti. Anche a Silvia, che le rispondeva di no con la testa.

Marco si era tappato gli occhi. Lui aveva fatto una promessa a Elena. E non voleva tradire, non la voleva guardare. Oscar avvicinò la lama sull'anca di lei, ci passò sopra il dorso, come se stesse spalmando un po' di burro.

– Ora vedi, ora vedi, – le disse, poi lasciò cadere a terra il coltello. E diede un pugno contro una delle porte.

Luca disse che una ridotta cosí non poteva proprio farlo un figlio. Era stato inutile agitarsi tanto. E le riconsegnò la maglietta che aveva sottratto a Boxo. Mentre Antonio era rimasto a fissare il vuoto di un solo pensiero: l'unica al mondo che capiva proprio come lui era fatto, non era una donna. Aveva ficcato il cazzo in un fossile di lava, e in fondo lo sapeva. E gli piaceva.

– Lo volete? Sta qua dentro il figlio, venitevélo a prendere.

Nessuno le rispose. Elena riprese la felpa dalle mani di Silvia e se la infilò. Ridiede a Boxo la maglietta. Tirò su col naso. Come se non ci fosse piú nessuno intorno, dichiarò a se stessa: – Ho finito

il lavoro, andiamo –. E riprese la via del corridoio.
Marco riaprí gli occhi e si trovò davanti i compagni sconfitti.

– Elena io non ho visto niente, – gridò, ma la
sua voce fu inghiottita dal ventre bianco delle can-
tine.

Elena camminava strusciandosi alla parete ruvida. Silvia la inseguiva eccitata, tentava di co-
prirla con la sciarpa saltellandole intorno. Boxo la
precedeva e scodinzolava d'affetto. Su per le scale Silvia le disse: – Tu sei una davvero grande. Comunque, io conosco un bravissimo chirurgo pla-
stico.

– Cosa hai in mano? – le chiese Elena, oramai
nell'androne, attraversata da scosse di freddo.

– Uno dei tuoi cappucci. Me lo sono preso per
ricordo. Noi oggi abbiamo vinto.

– Noi chi?

– Cioè, tu hai vinto, scusa. Però io ero dalla tua
parte, mi hai visto che ero dalla tua parte?

– Prendi il motorino, avanti, – disse Elena, ar-
rotolandosi la sciarpa intorno al collo.

– Certo.

– Guido io.

– Guida tu.

Elena salí in sella, fece posto a Silvia. Mise in
moto. Boxo le inseguí per un bel tratto.

– Senti un po' amica, parliamo di cose serie.
Com'è la casa di Scauri? – le chiese Silvia eccitata, afferrandola alla vita.

– Normale.

– Che vuol dire normale?

– Ha inchiodato una moglie dietro una porta,
con le puntine. Cosí non può piú uscire, – rispose
Elena.

– In che senso?

– Era una scassaminchia, e lui l'ha fermata.

– Perché una moglie, ma quante mogli ha?

– Nessuna, scema. Stava con una che quando lo ha mollato si è portata via tutto, tranne le foto. Ha una Smart però.

– Ma va'? Che è, ricco di famiglia?

Il semaforo era rotto. Le macchine erano tante e indecise sul da farsi. Elena svicolò e passò. Lasciandosele dietro a brancolare. Niente lí fuori aveva cambiato aspetto. C'era ancora quel maledetto sole. Ma mica poi per molto. Tra poche ore sarebbe arrivata la sera, mangiandosi tutta l'aria chiara.

Ventidue.

Aveva solo voglia di starsene buttata sul divano, con l'odore della crema di sua madre nel naso. Come un neonato, da cui nessuno si aspetta altro. Elena passò l'indice sulla curva del mento di Anna che stupita lo incassò in gola. I neonati fanno cosí, ogni tanto ti toccano con una precisione che non ti aspetti.

– Per davvero ti sei divertita in campagna?

– Era bello. Quando vedo cose belle penso sempre a te che non ci sei.

– Allora peccato che non c'ero.

– Hai sonno?

– No.

– Crolli dal sonno.

– Ho detto che non ho sonno.

– Perché non dici mai la verità, non ti lasci un po' andare.

– Tanto non ti dico quello che vuoi sentire.

– Che? Cosa voglio sentire secondo te?

– Che io sono cosí solo perché non voglio fare la tua fine. E invece io sono come mi pare.

Elena urtò il portacenere di peltro, in bilico sul bracciolo. Cadde. Un mucchio di cicche si riversò in ordine sparso sul pavimento. Elena con un piede le raggruppò in un formicaio di cenere.

– Lascia stare, pulisco io, – disse Anna. Sfilò la

gamba da sotto il cuscino, distendendola sul tavolo basso, davanti al divano.

– Dio mio quanto mi fa male la schiena. Non ce la faccio. C'ho anche la gamba addormentata. È stato il cambio di letto, sicuro, – disse Anna rassegnata. Il suo piede nudo sembrava fatto di vetro spesso. La luce proveniva dal fondo del corridoio, ferma riempiva la stanza. Il profilo regolare di sua madre si stagliava netto in quella puzza di fumo fumato e vecchio.

– Ivan non ti piace piú, lo so, – sentenziò Elena.

– Che dici? Ho mille spilli che mi pungono tutt'intorno agli occhi, abbi pietà di me, non ricominciare...

– Ti sei rotta di lui, si vede.

– Invece mi ricorda molto tuo padre.

Secondo Elena, quando Anna finiva la scorta d'amore fresco metteva gli uomini in un freezer, dove cominciavano a somigliare a suo padre.

– Accompagnami in bagno che da sola non ce la faccio. Mi fa sul serio male.

– È meglio che aspetti un po'. Ce la fai?

– Aiutami ad alzarmi, fai piano.

– Stai buona. Pensa solo a una cosa che ti piace.

Elena si ricordò che quella era la frase preferita di Anna quando era lei che stava ferma, con le ustioni che pulsavano umide sotto le fasce.

– Che ti prende? Non sto mica morendo.

Elena la sollevò, infilandole ai piedi i calzettoni di lana, gommati sulla pianta. Poi accolse su di sé il corpo di Anna cingendole la vita imbottita da un pigiama felpato.

– Su mamma, facciamo piano piano.

Trascinandola, Elena contava i passi a voce alta. Era un soldato, presente alla marcia.

Quell'incedere zoppo e derelitto concedeva a entrambe l'ascolto attento del respiro. Si somigliavano ora, con le facce sfinite dalla sconfitta delle cose. La foto di suo padre appoggiato alla moto. La simmetria degli interruttori macchiati di grigio. Il tempo si era preso una vacanza quella sera. Tutto galleggiava.

Seduta sul bordo della vasca, Elena guardava sua madre che a occhi chiusi si lavava i denti. Sputava in continuazione e un odore penetrante di Az salino invase il bagno. Poi si passò con forza un asciugamano sulla faccia.

– Lui non ti piace piú, – disse Elena. Anna non rispose. Sorda, pulita, strofinata, consumata dall'igiene. Nemica dell'odore umano. La chimica.

Ora era uscita dal bagno, andava avanti da sola verso la stanza da letto, con una mano a perno sul muro.

Elena la seguiva passo passo. Si fermò piú del dovuto davanti al quadro degli alberi bianco e nero. Il solito su cui passava e ripassava ogni giorno. Opera di un tale, Sergio. Sergio portava giacche tutte impallinate e durò meno di altri. Però le aveva insegnato come si fanno i pacchetti con una tale dedizione che Elena non se lo era piú scordato quel gioco di bordi, pieghe, pressioni delicate, inversioni prestabilite di potere. In quel settore era diventata brava al punto che la profumeria sotto casa la arruolava tutti gli anni a dicembre per dare una mano.

Ora gli alberi di Sergio stavano sull'attenti, fieri davanti ai suoi occhi. Ed erano parecchi in fila. Ossi duri, guerrieri piantati al loro posto, alberi in un parco. Essere un albero. Con tutto il rispetto per l'opera di Sergio, quella degli alberi poteva anche essere una vita di merda se finisce che uno ti dà un'accettata. O magari ti omaggia con riti senza senso. O passa e ti si schianta addosso con la macchina.

– Non voglio andare nella macchina davanti, mamma.

Anna non la ascoltava strattonandola, ma Elena resisteva, aggrappata agli spigoli delle sue gambe.

– Non fare capricci. Vai con papà, io devo parlare con la zia di cose importanti, manca poco, arriviamo presto.

– Non voglio andare nella macchina davanti se tu non vieni.

Anna la infilò dentro. Poi lo sportello si richiuse con un botto netto, immediatamente stordito dal caldo appannato che faceva lí dentro. Elena guardò sua madre che si allontanava nella piazzola di sosta per poi salire nell'altra macchina. Si fermavano spesso lí quando andavano in montagna. C'erano sgabelli di legno e cestini stracolmi dei rifiuti delle gite. Di sotto, uno strapiombo di sterpaglia secca dove suo padre l'aveva portata a fare pipí un attimo prima. Elena non voleva essere accompagnata, ma non era ancora capace di fare da sola.

– Non ti guardo. Non ti guardo per niente, basta che ti sbrighi.

Suo padre era alto e ben piantato, sempre un po' arrabbiato con Anna. A volte cosí arrabbiato che a Elena pareva di non essere sua figlia. Ma solo di sua madre che le ricacciava dentro quel ran-

core come fosse una spremuta d'arancia da ingol-
larsi in fretta e furia perché fa bene.

Elena, tappata nella macchina sbagliata, piangeva prendendo a calci la schiena del padre dal sedile posteriore. Smise di colpo e riversò le sue at-
tenzioni dispettose su Piero, suo cugino, che contava i pallini della cappotta con l'indice lesso. Se
lo ciucciava, insieme al medio. Ma era l'indice il
suo preferito. Ogni volta che Piero ripartiva me-
ticoloso con la conta, Elena afferrava al volo quel
bastoncino eroso dal vizio. Addosso aveva una tu-
ta celeste rattoppata con le pezze dell'Uomo Ti-
gre.

Suo padre mise in moto, disse: – Fermi e buo-
ni. – È stata lei, – gli rispondeva Piero. Suo padre
ripeté «buona» per due volte, badando a immet-
tersi in corsia. Quella era una strada stretta e a
doppio senso di marcia.

– Sei brutto, – ripeteva Elena a cantilena, senza specificare chi fosse il brutto tra quei due. Piero rideva, emettendo un filo di sputo nel suo piccolo palmo spalancato. Poi appiccicava gli avanzi
umidi di quell'operazione sulla coda a spazzolino
di Elena. Si avvicinava a lei tentando di baciarla,
strizzando gli occhi a virgola, conficcati in mezzo
alla faccia. Piazzati molto piú in basso rispetto alla radice del naso. Piero aveva la febbre, ma i grandi avevano deciso di portarselo comunque dietro
perché secondo loro stava guarendo. Perché a Elena era durata poco quella febbre. E lei di sicuro
l'aveva attaccata a lui. – Hanno la stessa forma, –
cosí aveva detto Anna.

Il fiato di Piero puzzava di cioccolata. I bambini con la febbre puzzano spesso di cioccolata e sono cattivi.

Piero ora era cattivo. Aspettava Elena al varco con la lingua curvata in una punta sul piccolo labbro rosso e screpolato. Elena afferrò la punta e tirò. La lingua venne fuori tutta intera. Era piena di bollicine bianche ai bordi e le scivolava via dalla presa. Ma lei la stringeva forte. Piero scattò indietro ricacciandosela in bocca. Poi si tappò le labbra con la mano stretta.

– Finitela, o vi butto fuori dal finestrino, – disse suo padre.

– Butta a lui fuori, – rispose Elena.

Piero le mise la testa sulla spalla, prese la mano di Elena e la costrinse a carezzarlo. Era sudato in fronte e anche il suo sudore odorava di cioccolata. Mugugnava come se la lingua non gli funzionasse piú bene. Se la indicava con il dito lesso. Elena lo scrutò, preoccupata di avergli fatto troppo male.

– Dormi, buono, fai la ninna, – gli diceva carezzandolo ora spontaneamente.

Ma Piero a un tratto le mostrò il suo piccolo pisello, in fondo alle mutande a righe di cotone spesso.

Rideva, felice della vendetta. Elena si voltò verso il finestrino con le guance paonazze, badando alle aiuole in corsa che scivolavano via su quei suoi sudici occhi che avevano visto una cosa che non si doveva vedere.

– Diavoletti, appena arriviamo ce ne andiamo a sciare, se facciamo in tempo, – disse suo padre. La pista dove la portava di solito era ripida e stretta, in ombra, lastricata di ghiaccio. Suo padre non l'aveva mica capito che a lei sciare faceva paura. Le sue mani scivolavano fuori dai guanti, ancorate al gancio che la trascinava su. Niente era piú forte del ghiaccio. Nessuno lo era.

– Quando torniamo a Roma?

Fu l'ultima cosa che disse prima che Piero le piantasse il viso caldo sullo stomaco, mentre con le mani entrava sotto la sua maglia dandole molli pizzichi che si trasformavano in carezze. Di nascosto da tutti. Elena si divincolò in silenzio, non voleva che suo padre si accorgesse di nulla. E lui si voltò per un attimo pregandoli di stare fermi, con la voce che filava liscia e calma come la macchina sulla strada. Piero continuava a toccarla, dappertutto. Quando per la seconda volta sorpassò il confine lecito e le infilò lí sotto un pugno che si apriva a scavare, Elena scattò di colpo gridando, lanciandosi verso il sedile davanti. E in quel suo tuffo disperato Piero la trattenne, perché la rivoleva indietro. Elena si aggrappò prima alle spalle, poi a un braccio di suo padre che perse il controllo della macchina. Un bestione con grandi ruote che volevano solo frenare e il muso grosso e cieco costretto suo malgrado a fare male se li trovò all'improvviso davanti. Poi tutto si arrese al fuoco. Tranne Elena, la sola sopravvissuta. La non morta, l'ustionata.

Anna aveva acceso la luce e rovesciando la Novalgina in un bicchiere, contava fra i denti le gocce, ventuno dovevano essere. Elena raccattò da terra la mantella nera, la sciarpa panna. Tutte le sue opere, buttate per terra da Anna al suo rientro fiacco. Finita sotto il letto, si allungò ad afferrare un maglione solitario abbandonato lí da chissà quanto. Disse a sua madre forte perché potesse sentirla:

– Sono morti. Tu non c'entri.

Anna si distese sul letto e la tavola scricchiolò

sotto il suo peso leggero. Una specie di lamento,
l'abitudine a soffrire sorreggendo. Una risposta arrivò a Elena che stava ancora sotto.

– Piano, quando gridi io non ti sento.

Ventitre.

Erano arrivate le dieci, l'ora dei film stravisti in Tv. La strada silenziosa, pochi movimenti in giro. Marco aspettava Elena, appoggiato a un muro basso. Rigido in una giacca nera stretta, portava la cravatta bordeaux sulla camicia bianca. E in mano stringeva un mazzo di fiori. Elena era scesa in strada istigata da un suo messaggio misterioso: «urgente: ci vediamo al secchio».

– Ti vai a sposare? – gli chiese, abbracciandolo in fretta.

– Sono per te, – le rispose, porgendole i fiori con un gesto fiero.

– Per me?

– Ti piacciono i fiori? Perché io non lo so se ti piacciono i fiori.

– Li hai mai regalati a qualcuna prima?

– Con Saverio li compriamo a mia madre, qualche volta.

– E questi qui li hai comprati da solo?

– Sí.

Elena afferrò il mazzo. Era umido alla base. Pieno di boccioli che ancora dovevano diventare fiori.

– Mi dispiace di tutto, – disse lui, avvicinandosi. Ma Elena lo scansò riconsegnandogli il mazzo.

– Non mi piacciono, hai sbagliato persona.

– No, io non ho sbagliato persona, lo so.

– Tu non sai niente.

– Io so tutto, – rispose Marco, poi tirò fuori un biglietto affondato tra i gambi del mazzo.

– Che c'è di tanto urgente? A parte 'sta buffonata dei fiori.

– Leggi, – le disse lui, porgendole la bustina incollata e pestata di dita agli angoli.

– Non me ne frega piú niente di leggere le vostre buste. Parla.

– Questa è una cosa mia e tua. Non c'entrano gli altri.

– Le cose mie e tue non esistono, – disse Elena, fissando il biglietto. – Avanti, parla!

– No. Apri e leggi tu, a voce alta.

– E dammelo, allora.

Marco le consegnò il biglietto, passandosi una mano sulla fronte, un po' emozionato. Elena, appoggiata a un cassonetto, aprí una fessura in cima alla busta. Un pezzetto di carta venne fuori, ripiegato in quattro.

– Ora avanti, leggi, – le impose lui.

Elena attaccò:

– «Forse è vero quando dici che sembra che io ti amo». Tu sei un povero scemo, – commentò, strappando la carta con una forza ridicola.

– Io non sono scemo.

– Lo sei.

– No. Io lo so che non prendi la pillola. Io lo so che è stato mio fratello. Io so tutto.

Dal pugno di Elena venne giú una scia di coriandoli.

– Lo so da giorni e non parlo. Ci sono stato male, ma non parlo.

– Lo hai detto a Saverio?

– No. Saverio mi ha detto, per caso, che tu prendi la pillola. Saverio non ci pensa che la gente dice bugie.

– Saverio non capisce niente. È colpa sua, lui voleva vedere. Ha messo le sue mani dentro, ha infilato la testa sotto. Io ero in macchina, non potevo scappare.

– Elena, non mi interessa. Io non ti ho tradito da Scauri, non ti tradirò mai.

– E perché? – gli chiese, imbambolata.

– Perché sta scritto nel biglietto.

Elena si lanciò contro Marco, caricandolo con la testa. Scavava nella cuccia che si era guadagnata con prepotenza.

– Tu stai con me o no? – gli diceva, o qualcosa del genere tanto non si capiva bene. Marco sollevò il suo viso all'aria, era rigato di rimmel. Lo riaccostò a sé con cura.

– Certo che io sto con te. Lo sai che ora mi sento tipo un padre.

– Vorresti essere tu il padre? – disse Elena inghiottendo.

– Io mi ci sento.

Il rumore del camion dei rifiuti travolse la strada con quel suo brontolio lamentoso e penetrante. Qualche botto secco a ritmare i passi ingoiati, ammutoliti nelle scarpe di quelli che caricano, scaricano e mandano a morire definitivamente la morte.

Ventiquattro.

Elena entrò nel bagno della scuola sicura. Muso di mulo le aveva ceduto il passo sulla soglia.

– Grazie caro profeta del cesso… – disse Elena, prendendolo in giro.

– Li hai fregati tutti, ho saputo, – le rispose, legandosi i capelli con un elastico tutto sfibrato. È strano come si legano i capelli i maschi, stanno lí a lisciarseli con una cura ossessiva. E se una ciocca rimane fuori ricominciano all'infinito l'operazione.

– Muso, mi sa che lascio questa scuola.

– Faresti bene, almeno nelle altre c'è il sapone liquido.

Muso batteva i polpastrelli sul bordo del lavandino.

– Elena, parlando di cose che mi interessano, tu non hai mai paura di attaccarti qualcosa?

– Che?

– Te quando lo ciucci a qualcuno non ti senti in pericolo?

– No. Comunque quelli che mi fanno schifo li imbocco a flauto. Capito, li prendo da un lato.

– Capito, a flauto.

Muso smise di dare colpi al lavandino e le chiese di entrare insieme nel bagno. Elena accettò, sbuffando. Scavalcarono una cassetta di cuoio nero, piena di arnesi.

– Hai sentito? Stanotte è uscita la fogna da 'sti cessi. C'è l'idraulico in giro, – le disse Muso, calciando la cassetta.

– Allora, che c'è? Che vuoi? – chiese Elena una volta dentro.

– Fammi vedere come si fa il flauto.

Elena si appoggiò al muro piastrellato permettendogli di sfilarsi i pantaloni. Poi si accostò a lui in ginocchio.

– Non toccare, fammi solo vedere.

Elena lo sfiorò, Muso se lo teneva serrato nel pugno badando a mantenere le distanze. Lei appoggiò le labbra sul lato esterno della mano e fece pressione su e giú. Lui la guardava attento. Ascoltava quella bocca in azione fregandosene che ora una ciocca gli pendeva da un lato. Poi le disse che aveva capito e visto abbastanza il flauto. Uscí e la lasciò lí dentro a fare pipí. Sollevandosi Elena vide che le sue mutande erano tutte chiazzate di scuro. Passandosi la carta igienica sotto trovò una fragola di sangue. Erano arrivate, tornate, sebbene in ritardo, normali come se nulla fosse stato. Incredula rifece tutta la scena da capo e ritrovò ancora fragole sulla carta igienica ruvida della scuola.

Niente piú figlio. Niente piú padre. Niente piú mogli, mariti e madri. Niente piú cambio di scuola. Niente. Tutto come prima, solo un po' diverso da prima.

All'improvviso Muso si attaccò alla maniglia della porta come una furia: – Fammi entrare –. Ma lei non fece entrare nessuno. Con una botta forte uscí spingendolo via.

– Che vuoi ancora da me? – gli disse. E aveva voglia di sparire, pregava che qualcosa l'inghiottisse in un colpo solo. Inghiottita da una frana nel muro come i portoni di Porta Portese.

– Voglio vedere anche io quello che hanno visto loro, – disse Muso di mulo, minaccioso. Non la lasciava uscire, l'aveva bloccata sulla porta di ingresso a gamba tesa. Qualcuno fuori cantava in coro. Poi il canto smetteva e ricominciava, mentre i banchi e le sedie strusciavano sul pavimento.

– Quelli grandi occupano, te lo dico io… – commentò Elena, cercando di distrarlo. Ma lui non si distraeva. Muso afferrò un paio di guanti di gomma che stavano nella cesta. Se li infilò.

– Che cazzo fai maniaco?

– Niente, alza. Non lo so se voglio toccarti.

– D'accordo, ma sbrigati.

La osservò a lungo prima di accostarsi con la mano. Elena si aspettava da un momento all'altro di vederlo scappare urlando dallo schifo e ancora piú schifo. Si aspettava di vederlo sciolto, come la faccia di Oscar nel cappuccio. Ma lui invece si sfilò un guanto, e iniziò a tamburellarle addosso. Elena si spaventò, Muso le disse di stare calma. Elena respirava affannata: – Che cosa mi fai? – gli chiese. Muso iniziò a leccarla. Ancora e poi ancora. Non si fermava piú. Baciandola sul costato le ripeteva:

– Sei pulita. Tu sei la prima ragazza che tocco.

Elena lanciò un'occhiata alla cassetta degli attrezzi, il manico di un martello stava lí ad aspettarla. E anche la testa di lui era lí, pronta a riceverlo. Due colpi forse tre le sarebbero bastati a rispedirlo nel regno caldo dei bambini che dormono.

– Ora ho finito, – le disse Muso, tirandosi via dalla lingua un capello. Uscí.

Elena rimasta sola ascoltò il fuoco che si spengeva sotto la forza paziente della saliva.

Indice

5	Uno
10	Due
20	Tre
27	Quattro
38	Cinque
51	Sei
55	Sette
62	Otto
70	Nove
76	Dieci
81	Undici
92	Dodici
97	Tredici
103	Quattordici
109	Quindici
117	Sedici
122	Diciassette
129	Diciotto
133	Diciannove
135	Venti
151	Ventuno
166	Ventidue
174	Ventitre
177	Ventiquattro

*Stampato per conto della Casa editrice Einaudi
presso Mondadori Printing S.p.A., Stabilimento N.S.M., Cles (Trento)
nel mese di maggio 2005*

C.L. 17615

Edizione										Anno			
1	2	3	4	5	6	7	8			2005	2006	2007	2008